CW00404017

A LA TABLE DE GEORGE SAND

A LA TABLE DE GEORGE SAND

Flammarion

L'Histoire se sert donc de tout,
d'une note de marchand, d'un livre de cuisine,
d'un mémoire de blanchisseuse.

George Sand Histoire de ma vie

SOMMAIRE

6

NOHANT

9

AVANT-PROPOS

par Christiane Sand

15

HISTOIRE DU CHÂTEAU

par Georges Lubin

25

LA VIE À NOHANT

Famille et familiers

39

Hôtes et visiteurs

65

Domestiques

73

LES CAHIERS DE RECETTES DE NOHANT

76

SUR LES CAHIERS

77

NOTE DE L'ÉDITEUR

78

LA CUISINE DE NOHANT

par Marie-Christine et Didier Clément

80

LES RECETTES

237

ANNEXES

Table des recettes, Remerciements, bibliographie, Index des noms cités, Sources documentaires.

NOHANT

À la mémoire d'Aurore Sand

Direction artistique : Marc Walter
Maquette : Sophie Zagradsky/Arbook International

ISBN : 2.08.200512.7
N° d'édition 15518
Imprimé en Espagne par Artes Graficas Toledo, S.A.

Pages de faux titre et sommaire
Ce décor sur les murs de l'entrée et de la cage d'escalier de Nohant a été peint par Maurice Sand et Eugène Lambert afin de figurer le foyer du théâtre.

Page de titre : Dans le parc de Nohant
Double page précédente :
Dans le boudoir de George Sand

AVANT-PROPOS

Par Christiane Sand

Aurore Sand avait pieusement conservé le moindre morceau de papier qui pouvait avoir un rapport avec sa grand-mère ou avec sa famille. Tous ces documents étaient entassés pêle-mêle dans des boîtes hétéroclites, dont certaines avaient abrité des chaussures de tous styles et de toutes époques. Sous l'œil attentif de la maîtresse de maison, Georges Smeets-Sand et moi devions trier, classer, ranger et conserver ces trésors, sans jamais jeter le plus petit fragment « qui pourrait se révéler, un jour ou l'autre, du plus grand intérêt ! » Aurore avait raison.

Après sa mort, plusieurs hivers furent nécessaires pour venir à bout de tous ces documents, et tous furent rangés sur les rayons de la bibliothèque, attendant que se confirme leur utilité.

Lorsque, devenue seule responsable de ces archives, je décidai d'en faire don à la bibliothèque de La Châtre afin qu'elles demeurent accessibles à tous, je découvris, en les triant, que la publication des recettes de cuisine pourrait apporter une intéressante documentation sur la vie quotidienne de Nohant, d'Aurore de Saxe à Aurore Sand. Tous les membres de la famille, en effet, figurent d'une manière ou d'une autre dans ce recueil, ainsi que les amis de toutes les générations.

Après deux tentatives d'édition, finalement abandonnées car elles ne correspondaient pas au livre dont je rêvais, je rangeai à nouveau les précieux feuillets en attendant une meilleure occasion... c'est-à-dire un miracle. J'avais raison de ne pas désespérer : un beau jour, dans ma campagne, une voix charmante des Éditions Flammarion vint me surprendre au téléphone.

Mais avant de vous convier « À la table de George Sand », j'aimerais évoquer toutes les tables de Nohant. Les tables, en effet, ont toujours joué un rôle important dans cette maison ; celle du salon, par exemple, fabriquée par le menuisier du village et dont George Sand disait qu'elle était « à mourir de rire », mais qui s'est imprégnée durant sa longue vie de tout l'esprit et des multiples talents de ceux qu'elle a reçus. George Sand lui a même fait l'honneur d'une « biographie », en écrivant *Autour de la table* :

« C'est une table qui ne paie pas de mine, mais c'est une honnête table. Elle n'a jamais voulu tourner ; elle ne parle pas, elle n'écrit pas, elle n'en pense peut-être pas moins, mais elle ne fait pas connaître de quel esprit elle est possédée : elle cache ses opinions. (...) Elle a prêté son dos patient à tant de choses ! Écritures folles ou ingénieuses, dessins charmants ou caricatures échevelées, peintures à l'aquarelle ou à la colle, maquettes de tout genre, études de fleurs d'après nature, à la lampe, croquis de chic ou souvenirs de la promenade du matin, préparations entomologiques, cartonnage, copie de musique, prose épistolaire de l'un, vers

Portrait d'Aurore Sand par Frédéric Lauth.

burlesques de l'autre, amas de laines et de soies de toutes couleurs pour la broderie, appliques de décors pour un théâtre de marionnettes, costumes *ad hoc,* parties d'échecs ou de piquet, que sais-je ? Tout ce que l'on peut faire à la campagne, en famille, à travers la causerie, durant les longues veillées de l'automne et de l'hiver... »

La table de la salle à manger est sans aucun doute la plus mondaine : elle connaît les usages et son orgueil est sans mesure : elle a côtoyé tant de célébrités ! D'ailleurs elle ne s'habille que de blanc et n'apprécie guère que l'argenterie de famille. Si elle tolère à la rigueur les services à fleurs les plus rustiques, c'est seulement parce que Nohant n'est pas Paris et qu'il faut bien, malgré tout, subir les goûts de la maîtresse de maison ! Mais quand on a eu la chance de recevoir Frédéric Chopin, Eugène Delacroix, Gustave Flaubert, le Prince Jérôme Napoléon, Tourgueniev et Pauline Viardot, Honoré de Balzac et Alexandre Dumas, Franz Liszt et Marie d'Agoult, et que Madame George Sand s'y installait tous les jours, on a bien le droit, quand on est une table intelligente, d'en éprouver quelque fierté ! D'ailleurs, n'est-elle pas aussi la seule de la maison à avoir conservé jusqu'à nos jours son service original ?

Mais la table que je préfère est bien la plus rustique, la plus lourde, la plus abîmée par le temps, la plus usée par le travail, mais la plus remarquable par sa beauté : la table de la cuisine.

Je m'y suis si souvent assise, j'y ai appris tant de choses, j'y ai connu de si merveilleux moments qu'à chaque fois que je la retrouve, tout un monde intact d'émotions et de souvenirs m'envahit.

J'y ai ma place, à cette table, face à Aurore, la dernière « dame de Nohant » qui s'asseyait toujours à la droite du grand poteau de soutènement. Je la revois comme si c'était hier, du haut de ses quatre-vingt-quinze ans mais toute frêle et malicieuse, sortant d'un air espiègle de l'une de ses poches son petit couteau à cran d'arrêt pour nous initier au découpage savant d'un superbe canard, offert le matin même par un fermier voisin. Tout comme Sidonie, la mère de notre grande Colette, « qui n'avait pas sa pareille pour feuilleter en les comptant les pelures micacées des oignons », personne ne savait aussi bien qu'Aurore découper d'un geste précis et assuré les délicates aiguillettes, ces chairs précieuses d'un canard bien élevé. L'instant était solennel, tout devait être exécuté dans les règles ; chaque morceau prélevé sur la carcasse était ponctué d'un petit rire de triomphe au

Salle à manger de Nohant.
Gouache de Georges Smeets-Sand.

Double page suivante : la grande table de la cuisine pouvait recevoir jusqu'à 15 domestiques à l'époque de George Sand.

moment de le déposer en travers du plat de service. Une des règles exigeait qu'on en alignât le plus grand nombre possible ; le canard était vraiment un très bon canard berrichon quand on pouvait en délivrer huit.
Si je raconte cette anecdote, c'est que j'ai gardé d'Aurore le souvenir d'un personnage plein d'humour et de malice. J'entends encore son rire lorsqu'elle remettait à sa place tel interlocuteur qui prétendait connaître George Sand mieux qu'elle, rire qu'elle faisait suivre du mot « attrape ! ». Je l'ai moi-même mérité, ce mot, bien souvent...
Je me souviens aussi du jour où son fils adoptif Georges Smeets-Sand, qui n'était pas encore mon mari, avait décidé d'installer, sans le lui dire, un réfrigérateur dans la cuisine. Pour Aurore, l'intrusion à Nohant d'un appareil moderne était une insulte à la vieille demeure. Mais nous étions en plein été et la chaleur était si grande que pour des gens comme nous, habitués au confort du vingtième siècle, il semblait tout à fait normal de nous équiper pour mieux la supporter. À l'heure prévue, après le second coup de cloche sonné par le valet Tony, Aurore fit son entrée appuyée à mon bras, et je m'efforçai de contourner la table en masquant de mon corps la tache blanche d'un appareil tout neuf qui, réflexion faite, détonnait singulièrement dans le décor. Mais l'œil exercé de la vieille dame enregistra immédiatement cet anachronisme, et le regard sévère qu'elle nous adressa est à jamais gravé dans ma mémoire. Malgré tout, ne pouvant, disait-elle, « lutter contre le progrès de destruction », elle finit par nous avouer, une fois la colère passée, que ce n'était finalement pas désagréable de boire frais quand il faisait si chaud dehors.
Que d'images inscrites dans le passé de cette table, table servante de l'aristocratique table de la salle à manger ! Les cancans de cuisine sont certainement encore incrustés dans les sillons du bois : « J'ai trouvé Monsieur Frédéric bien fatigué, ce soir... Il travaille trop ! » ; « Savez-vous, Rose, que Madame s'est encore couchée aux aurores ce matin ! Je l'ai surprise à la cuisine en train de se faire du café avant d'aller dormir... »
Et revoilà la table qui s'anime, supportant vaillamment les coups de la cuisinière aux bras puissants qui pétrit la pâte avec acharnement, pour que soit léger et croustillant le pain qu'elle cuit tous les jours... Elle se couvre aussi des mille couleurs de tous les pots de confiture qui y ont été remplis, sous les regards attentifs de George Sand et des petites filles.
Chère Aurore, vous qui les derniers mois de votre vie m'appeliez votre « petite mère » et qui ne supportiez que ma présence pour vous veiller la nuit et vous aider à quitter ce monde pour un autre, que vous saviez meilleur, c'est à vous que je dédie ce livre, dernier témoignage de notre vie à Nohant. J'espère qu'il ouvrira un peu plus les portes de cette maison que nous avons tant aimée. Je vous remercie de m'y avoir fait pénétrer. Vous avez été pour moi ce que George Sand a été pour sa belle-fille Lina, et si je ne suis qu'une pièce rapportée dans cette famille que j'aime, je vous dois d'avoir été choisie pour la continuer en votre nom.

HISTOIRE DU CHÂTEAU

Par Georges Lubin

AVANT GEORGE SAND

Depuis les premiers sires de Nohant au XIIIe siècle jusqu'à George Sand, on ne dénombre pas moins de vingt-sept propriétaires. Il serait fastidieux de donner la liste de tous les possesseurs. Il n'est pas possible cependant de passer sous silence le dernier acquéreur avant la grand-mère de George Sand : Pierre-Philippe Péarron de Serennes, ancien officier d'infanterie, gouverneur pour le roi des ville et château de Vierzon, car c'est lui qui, ayant acquis la terre des frères Testu de Balincourt le 10 novembre 1767, pour 78 600 livres, fit élever l'habitation que nous connaissons, après avoir rasé le château des Villelume. L'acte de vente de 1793 donne à cet égard une précision intéressante : « maison de maître presque entièrement reconstruite à neuf entre cour et jardin, pavillon donnant sur la grande route », ce qui permet de dater avec une approximation suffisante le bâtiment principal et le pavillon isolé, appelé le pavillon de l'Astrologue.
C'est le 23 août 1793 que Mme Dupin de Francueil, née Marie-Aurore de Saxe, bâtarde du fameux maréchal, achète à Péarron la terre (on ne parle plus de seigneurie) de Nohant, acquise en 1767 et postérieusement augmentée de diverses acquisitions.
« Elle fit combler les fossés dont M. de Serennes avait entouré le château, puis elle en exhaussa le sol de façon qu'il formât terrasse du côté du couchant. Quatre murailles grises, d'aspect rébarbatif, entouraient de toutes parts l'habitation ; elle fit jeter par terre le pan faisant face au midi, et dès lors, de ses fenêtres ouvrant dans cette direction, il lui fut possible d'embrasser d'un coup d'œil les collines boisées d'où se détachent les toitures rouges du village de Laleuf et les coteaux derrière lesquels s'élèvent les belles ruines de Sarzay.
Afin d'égayer la retraite où elle comptait finir les jours d'une existence bien tourmentée déjà, madame Dupin... créa un parc, un verger, des serres et un jardin ; elle traça des allées soigneusement sablées et des charmilles ; elle planta à profusion des tilleuls, des peupliers, des marronniers, des ormes. »
Ce que n'ajoute pas l'auteur de ces lignes, Edmond Plauchut, c'est que l'on doit à Mme Dupin l'escalier de pierre intérieur, d'une courbe élégante, qu'elle fit construire en *1802*.
Comme elle n'avait pas autant de prétentions que son prédécesseur, quoiqu'elle eût des ancêtres royaux, elle vécut en bonne

Mon escalier qui déshonorait mon château sera fait, et il est très beau.
Aurore de Saxe. 1802.

La terrasse de Nohant en 1853 par Eugène Lambert qui fut un familier de Nohant pendant plusieurs années.

intelligence avec les habitants de son village, où elle aurait coulé des jours paisibles et sans histoire si la mort accidentelle de son fils, le brillant officier Maurice Dupin, le 17 septembre 1808, ne lui avait porté un coup dont elle ne put jamais se consoler. Ce fils unique, ce fils idolâtré, avait fait un mariage fort désapprouvé par sa mère. Il laissait une fille, Aurore, qui sera élevée par sa grand-mère. Lorsque celle-ci mourra à Nohant le 26 décembre 1821, c'est Aurore qu'un testament du 29 mai précédent aura faite l'héritière de tous les biens.

À L'ÉPOQUE DE GEORGE SAND

Aurore Dupin, née à Paris le 1er juillet 1804, était arrivé à Nohant, avec ses parents, de retour d'Espagne, au cours de cet été 1808 qui allait se terminer tragiquement pour la famille. De quatre à treize ans elle y vécut très près de la nature et des petits paysans de son âge dont elle partageait les jeux rustiques. Après trois années de pension à Paris qui l'éloignèrent de Nohant sans l'en détacher, elle revint y passer la fin de son adolescence, complétant son instruction par de grandes lectures sérieuses, auprès de sa grand-mère déclinante.

Après son mariage avec François, dit Casimir Dudevant, le 17 septembre 1822 à Paris, ce dernier prit en main l'administration des biens. Il s'y intéressa d'abord avec une grande activité de néophyte, mais ses initiatives, bien que non critiquables en elles-mêmes, chagrinèrent la jeune femme.

« Nohant était amélioré, mais bouleversé ; la maison avait changé d'habitudes, le jardin avait changé d'aspect. Il y avait plus d'ordre, moins d'abus dans la domesticité ; les appartements étaient mieux tenus, les allées plus droites, l'enclos plus vaste ; on avait fait du feu avec les arbres morts, on avait tué les vieux chiens infirmes et malpropres, vendu les vieux chevaux hors de service, renouvelé toutes choses, en un mot. C'était mieux, à coup sûr... »

C'était mieux, mais le bouleversement du cadre de vie de sa jeunesse lui causa un accès de spleen. Casimir n'avait cependant procédé à aucune modification notable des aîtres. Le

... je t'ai fait mon portrait. Dès que j'aurai le bonheur de posséder 35 sous je t'achèterai un cadre et je te l'enverrai...
G.S. à Laure Decerfz. 1831.

Chambre dite des Comtesses, par le personnel, car c'était la chambre de toutes les maîtresses de maison.

spleen ne se serait peut-être pas manifesté avec un mari différent, moins terre à terre, et pourvu d'une culture égale à celle de sa jeune femme. On sait que cette association sera rompue en 1836, après un procès en séparation (et non en divorce, comme on le croit généralement : le divorce n'était pas légalement possible à l'époque). Après un premier jugement rendu en sa faveur, George Sand eut Nohant tout à elle pendant quelque temps. Laissons-lui la parole pour évoquer cette période qui fut un repos dans sa vie :
« J'étais donc absolument seule dans cette grande maison silencieuse... une fois dans ma vie, j'ai habité Nohant à l'état de "maison déserte". La maison déserte a longtemps été l'un de mes rêves... Je faisais disparaître tout ce qui me rappelait des souvenirs pénibles, et je disposais les vieux meubles comme je les avais vus placés dans mon enfance. La femme du jardinier n'entrait dans la maison que pour faire ma chambre et m'apporter mon dîner.

Quand il était enlevé, je fermais toutes les portes donnant dehors et j'ouvrais toutes celles de l'intérieur. J'allumais beaucoup de bougies et je me promenais dans l'enfilade des grandes pièces du rez-de-chaussée, depuis le petit boudoir où je couchais toujours, jusqu'au grand salon illuminé en outre par un grand feu. Puis j'éteignais tout, et marchant à la seule lueur du feu mourant de l'âtre, je savourais l'émotion de cette obscurité mystérieuse et pleine de pensées mélancoliques, après avoir ressaisi les riants et doux souvenirs de mes jeunes années. Je m'amusais à me faire un peu peur en passant comme un fantôme devant les glaces ternies par le temps, et le bruit de mes pas dans ces pièces vides et sonores me faisait quelquefois tressaillir. »
Le 30 juillet, devant la cour royale de Bourges, le procès se terminait par un compromis, et

George Sand recouvrait le plein exercice de ses droits de propriété sur Nohant.
« *J'avais la maison de mes souvenirs pour y abriter les futurs souvenirs de mes enfants. A-t-on bien raison de tenir tant à ces demeures pleines d'images douces ou cruelles, histoire de votre propre vie, écrite sur tous les murs en caractères mystérieux et indélébiles qui, à chaque ébranlement de l'âme, vous entourent d'émotions profondes ou de puériles superstitions ?* »
S'il n'avait été habité par une des gloires littéraires de la France, dont la célébrité l'a tiré de son obscurité, le « château » de Nohant n'attirerait pas les visiteurs. Son ancienneté est relative, on vient de le voir. Son architecture n'a rien de remarquable, il n'offre aucun de ces détails élégants qui ornent souvent les constructions du XVIIIe siècle. Il possède deux façades assez sévères, l'une au nord qui regarde l'église, avec deux décrochements aux extrémités, l'autre au midi, ayant vue sur le parc et la route de La Châtre, et qui s'ouvre sur une terrasse sablée par un perron très simple à cinq marches en demi-lune, sans balustres. Il est de tradition de lui donner le titre de château, qu'il mérite à peine, parce qu'il a succédé à un château véritable qui comptait trois siècles. George Sand, elle-même, qui n'avait de vanité d'aucune sorte, l'a remis gentiment à sa place : « *Le château, si château il y a (car ce n'est qu'une médiocre maison du temps de Louis XVI), touche au hameau et se pose au bord de la place champêtre sans plus de faste qu'une habitation villageoise.* » Disons qu'elle exagère un peu dans le sens de la modestie, car les maisons du village n'ont pas quatorze

La table du salon. *C'est une grande, une vilaine table. C'est Pierre Bonnin le menuisier du village qui l'a faite... avec un vieux merisier de leur jardin. Elle est longue, elle est ovale, il y a place pour beaucoup de monde.*
G.S. Autour de la table.

fenêtres de façade, des plafonds élevés, un escalier de pierre intérieur, une cour plantée que clôt une grille. La « médiocre maison » mesure toute de même trente mètres de longueur, quatorze de profondeur dans sa partie la plus étroite, et permet d'assurer le logement d'une grande famille. George Sand en convenait d'ailleurs dans un texte tardif : *« J'ignore si ma grand'mère connaissait Nohant lorsqu'elle en fit l'acquisition. Elle y fut longtemps fort gênée et ne put jamais y introduire le luxe de ses anciennes habitudes ; mais la maison est saine, aérée et bien disposée pour contenir une famille. La distribution à laquelle je n'ai presque rien changé est telle que je n'y peux loger que quelques amis. Le système des petites chambres nombreuses et serrées qui permet d'entasser beaucoup de personnes sous le même toit n'a pas été adopté dans cette construction médiocrement spacieuse pour une maison de campagne et infiniment trop petite pour être un château. Mais, telle qu'elle est, elle s'est prêtée à nos besoins, à nos goûts et aux nécessités de nos occupations : nous avons trouvé moyen d'y faire deux ateliers de peinture, un atelier de gravure, une petite bibliothèque, un petit théâtre avec vestiaires et magasin de décors. »* Ajoutons qu'il n'était pas rare, certains étés, de dénombrer dix à douze personnes en plus des membres de la famille : on utilisait tous les coins et recoins, ainsi que le pavillon situé au bord de la route, qui offrait deux petites pièces.

APRÈS GEORGE SAND

À la mort de la romancière, le 8 juin 1876, c'est à son fils Maurice, alors âgé de 52 ans, qu'échut le château, en exécution d'un testament du 17 juillet 1847.
Les biens fonciers de George Sand (bâtiments, champs, prés, vignes, bois taillis), situés sur les communes de Nohant-Vicq et de Montgivray, se composaient, en dehors du château, de trois domaines : la Porte (63 hectares environ), la Chicoterie (66 hectares), Launière (70 hectares). Le château, ses dépendances, les jardins, prés, vignes exploités directement couvraient neuf à dix hectares.
Les fermes étaient estimées en 1876, la Porte à 145 000 francs, la Chicoterie à 191 000 francs, Launière à 202 000 francs.
Après 1876 et pendant quelques années, Maurice et sa famille (deux filles étaient nées de son union avec Lina Calamatta : Aurore, en 1866 et Gabrielle en 1868) ne demeurèrent plus en permanence à Nohant, où il venaient surtout à la belle saison.

Le cartonnier de Dupin de Francueil, grand-père de George Sand. *Je ne tiens qu'aux choses qui me viennent des êtres que j'ai aimés. Alors j'en suis avare quelque peu de valeur qu'elles aient...*
G. S.

Divers changements ont été apportés depuis 1876 : l'installation du chauffage central, dont les radiateurs et les tuyaux sont moins discrets que le calorifère mis en place en 1850 ; le sol de la cuisine a été cimenté au lieu d'être carrelé ; le pavage de la salle à manger a été refait à neuf.
Évidemment cette maison ne s'est pas tout de suite transformée en musée, et l'on comprend que ceux qui l'ont habitée (Maurice, sa veuve, leurs deux filles) aient essayé d'y apporter un certain confort sans lequel les hivers eussent été bien rudes, mais on aurait souhaité un peu

plus de fidélité au décor et aux matériaux d'origine.
Nohant fut mis en vente en mars 1891, mais heureusement ne trouva pas d'acquéreur. Lorsque Maurice mourut, le 4 septembre 1889, le partage fut fait entre ses deux filles, Aurore et Gabrielle. À cette dernière échut le château. Elle devait disparaître bien jeune, à peine âgée de quarante et un ans, le 27 juin 1909, sans postérité de son union avec un Italien, Roméo Palazzi, dont elle s'était séparée après quatre ans de mariage. Par testament olographe du 1er novembre 1908, elle faisait don du château, de ses immeubles situés dans l'arrondissement de La Châtre, et de

La chambre de George Sand. *Je plante des clous toute la journée, ou je couds des rideaux ou des courtepointes, le tout à l'effet de m'installer ici dans une chambre plus petite et plus chaude que celle où je suis.*
G. S. à Henry Harrisse. 1867.

100 000 francs-or à l'Académie française, en nue propriété, (l'usufruit étant laissé à sa sœur), *« à la condition de laisser dans leur état actuel le château de Nohant tout meublé et l'enclos qui ne fait pas partie de la ferme, pour servir de but d'excursion et de pèlerinage en souvenir de (sa) grand-mère. »*
À l'Académie des sciences, elle léguait le reste de sa fortune. Cette donation ayant été acceptée par décret du président de la République, en date du 8 septembre 1912, on pouvait espérer que Nohant ne connaîtrait plus, à perpétuité, qu'un seul propriétaire. Mais ces prévisions furent déjouées, d'abord par les deux dernières guerres qui réduisirent la valeur de l'argent et des titres à revenu fixe, et aussi par la longévité exceptionnelle d'Aurore, qui survécut à sa sœur de plus d'un demi-siècle. Ne disposant pas de ressources suffisantes, l'Académie française et l'Académie des sciences renoncèrent au legs en 1951.
Nohant devait *ipso facto* revenir à Aurore Lauth-Sand, l'usufruitière, mais du même coup celle-ci se voyait contrainte de payer des droits de succession élevés. Elle offrit alors Nohant au département de l'Indre, dont le Conseil général déclina, non sans regret, cet honneur assorti de lourdes charges d'entretien. Elle se retourna alors vers l'État, suggérant que la propriété soit transférée directement par les légataires aux Monuments historiques, et proposant d'ajouter une donation complémentaire de meubles, d'objets et de documents d'archives qui lui appartenaient en propre. Ce qui fut accepté.
Par acte notarié du 6 octobre 1952, les deux Académies concernées et Mme Lauth-Sand firent donc leurs donations à l'État, en l'espèce le ministère de l'Éducation nationale chargé à l'époque des Monuments historiques. En même temps, le château, son mobilier, son jardin, son cimetière, ses dépendances, ainsi que les deux prés dénommés « Pré Pile » et « Pré des Clous », étaient classés monument historique. L'arrêté acceptant ces donations est daté du 12 novembre 1952.
C'est à partir de 1961, date de la mort d'Aurore Lauth-Sand, que les Monuments historiques entrèrent effectivement en possession du domaine.

À droite : la porte capitonnée de la chambre de Chopin au milieu du long couloir des chambres du premier étage.

Double page suivante : au jardin. *Quel plaisir de rêvasser dans un coin du jardin le soir, de respirer le lilas, d'écouter le rossignol.*
G. S. à Émilie de Wismes. 1821.

LA VIE À NOHANT

Famille et familiers

On trouvera ici les portraits de famille brossés par Christiane Sand à l'exception de celui de George Sand, autoportrait de la maîtresse de maison.

AURORE DE SAXE

C'est auprès de sa grand-mère, Marie-Aurore de Saxe, que grandit George Sand. Elle-même petite-fille de roi et fille du Maréchal de Saxe, le vainqueur de Fontenoy, elle était douée d'une nature tendre, sensible, et d'une remarquable intelligence. Elle reçut en plus une instruction brillante, à la hauteur des esprits les plus éclairés de son temps. C'est elle qui relie George Sand au siècle des Lumières. Protégée par la Dauphine, sa parente, elle fut élevée à Saint-Cyr jusqu'à son mariage, à l'âge de dix-sept ans, avec le comte Antoine de Horn. Quelques mois après le mariage, le comte de Horn était tué en duel. Marie-Aurore reprit le chemin du couvent, mais retourna bientôt vivre chez sa mère, Marie de Verrières. La vie se passait là le plus agréablement du monde, à jouer la comédie et « cultiver les muses ». Buffon et La Harpe étaient des habitués du salon. Aurore, excellente musicienne et dotée d'une voix agréable, tenait avec succès les principaux rôles d'Opéra-Comique.

À la mort de sa mère, seule et sans fortune, Marie-Aurore alors âgée de vingt-sept ans se retira pour la troisième fois au couvent. Quatorze mois plus tard, elle épousa Dupin de Francueil, fils d'un fermier général. Adepte des Lumières, amoureux des arts et des Belles Lettres, familier de Voltaire et de Rousseau, il joignait à sa brillante culture un goût prononcé pour la menuiserie, la cuisine, l'architecture et la broderie. Excellent musicien, il fabriquait lui-mêmes ses violons ! Il avait soixante et un ans lorsqu'Aurore l'épousa, mais elle le trouvait « beau, élégant, soigné, gracieux, parfumé,

Le secrétaire de George Sand sur lequel elle a écrit *Indiana*.
J'habitais alors l'ancien boudoir de ma grand-mère, parce qu'il n'y avait qu'une porte et que ce n'était un passage pour personne, sous aucun prétexte que ce fût. Mes deux enfants occupaient la grande chambre attenante... Je faisais mon bureau d'une armoire qui s'ouvrait en manière de secrétaire, et qu'un cricri, que l'habitude de me voir avait apprivoisé, occupa longtemps avec moi.
G. S. Histoire de ma vie.

GÉNÉALOGIE SIMPLIFIÉE

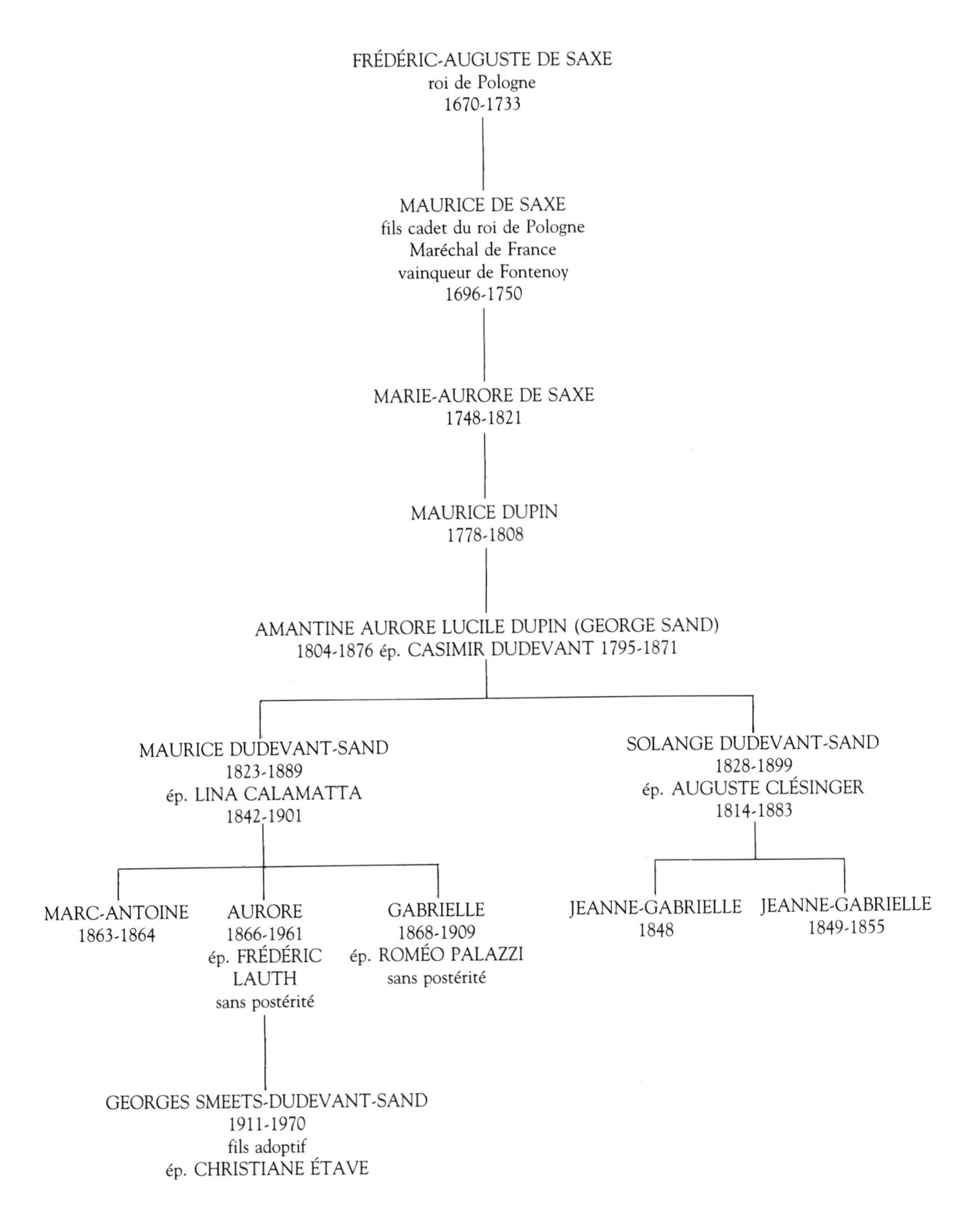
FRÉDÉRIC-AUGUSTE DE SAXE
roi de Pologne
1670-1733
MAURICE DE SAXE
fils cadet du roi de Pologne
Maréchal de France
vainqueur de Fontenoy
1696-1750
MARIE-AURORE DE SAXE
1748-1821
MAURICE DUPIN
1778-1808
AMANTINE AURORE LUCILE DUPIN (GEORGE SAND)
1804-1876 ép. CASIMIR DUDEVANT 1795-1871
MAURICE DUDEVANT-SAND
1823-1889
ép. LINA CALAMATTA
1842-1901
SOLANGE DUDEVANT-SAND
1828-1899
ép. AUGUSTE CLÉSINGER
1814-1883
MARC-ANTOINE
1863-1864
AURORE
1866-1961
ép. FRÉDÉRIC
LAUTH
sans postérité
GABRIELLE
1868-1909
ép. ROMÉO PALAZZI
sans postérité
JEANNE-GABRIELLE
1848
JEANNE-GABRIELLE
1849-1855
GEORGES SMEETS-DUDEVANT-SAND
1911-1970
fils adoptif
ép. CHRISTIANE ÉTAVE

enjoué, aimable, affectueux et d'une humeur égale... » Elle-même était à cette époque « blanche, blonde, grave, calme et digne dans ses manières, véritable Saxonne de race, aux grands airs pleins d'aisance et de bonté protectrice ».
Dupin de Francueil était receveur des Finances de Metz et Alsace et receveur général du duché d'Albret, résidant une partie de l'année à Châteauroux. Il mourut après dix ans d'une union parfaite, laissant à Aurore la charge d'un

Aurore de Saxe, grand-mère de George Sand et petite-fille de Frédéric-Auguste de Saxe, roi de Pologne.

fils unique, Maurice, et une situation financière assez embrouillée. Aurore acheta peu de temps après la propriété de Nohant et s'y installa avec son fils.
Les années passèrent. Maurice, jeune officier, rencontra, lors de la campagne d'Italie, une jeune femme du petit peuple de Paris, fille d'un maître oiseleur et maître paulmier, Antoinette-Sophie-Victoire Delaborde. Il l'épousa, contre la volonté de sa mère, un mois avant la naissance d'Amantine-Aurore-Lucile.
Mme Dupin de Francueil tenta sans succès de faire annuler le mariage, puis consentit à se réconcilier avec sa bru. Les deux femmes ne s'aimèrent jamais. Lorsqu'en 1808 Maurice, aide de camp de Murat, mourut accidentellement au retour d'un dîner à La Châtre, Sophie-Victoire préféra quitter Nohant, laissant à sa belle-mère la garde de la petite Aurore, alors âgée de quatre ans.
La future George Sand fut, dès ce moment-là, confiée au vieux pédagogue Deschartres, le précepteur de son père, qui lui enseigna pêle-mêle la grammaire, le latin, les mathématiques, la philosophie de Rousseau, le scepticisme de Voltaire, sans oublier Virgile, Montaigne et Homère.
Aurore de Saxe, la première dame de Nohant, s'éteignit en 1821, laissant le domaine aux soins de la seconde Aurore, âgée de dix-sept ans.

GEORGE SAND

Les soins domestiques ne m'ont jamais ennuyée, et je ne suis pas de ces esprits sublimes qui ne peuvent descendre de leurs nuages. Je vis beaucoup dans les nuages, certainement, et c'est une raison de plus pour que j'éprouve le besoin de me retrouver souvent sur la terre.

George Sand. Histoire de ma vie.

Je suis toujours accablée de besogne, non pas tant pour mes griffonnages littéraires que par les mille soins d'un intérieur où je suis le *Maître Jacques* de toutes choses ; et comme ces détails-là ne sont pas dans mon instinct naturel, que je n'ai pas de mémoire, pas d'ordre, et que je veux pourtant en avoir et faire tout marcher convenablement et sagement, je suis forcée de me donner plus de peines et de soins qu'une autre.

G. S. à René Vallet de Villeneuve. 1850.

Sac de voyage de George Sand. *Lorsque ma grand-mère quittait Nohant... elle préparait son voyage, faisait un chapeau neuf pour partir...*
Aurore Sand. Souvenirs de Nohant.

Je travaille à la terre, 4 ou 5 h. par jour avec une passion d'abrutie, et j'ai fait un jardin à ma fantaisie dans mon petit bois. Un jardin de pierres, de mousse, de lierre, de tombeaux, de coquillages, de grottes, ça n'a pas le sens commun, mais tout ce que j'y remue de pierres, de souches, d'arrosoirs, de brouettées de sable et de terre, tout ce que j'y rêvasse de comédies, de romans, de riens, de flâneries intellectuelles, est fabuleux.
J'avoue que *les lettres* ne donnent pas moitié tant de plaisir que la bêche, et que j'aspirerais à avoir ou de l'argent ou pas de *charges*, ce qui reviendrait au même pour moi. Et alors, je voudrais oublier que j'ai été auteur, et me plonger dans la vie physique, avec une vie morale, de rêverie, de contemplation, de lectures modérées et choisies, une ou deux heures par jour pour l'esprit, 10 ou 12 heures pour le mouvement. Voilà mon rêve, qui ne se réalisera pas comme bien vous pensez.
G. S. à Pierre Jules Hetzel. 1854.

Que faire donc pour égayer les heures de la vie en commun dans l'intimité de tous les jours ?

La couture. *Bouli, il ne faut un quarteron de ces deux nuances. C'est le ton neutre de mes ombres dans mes fleurs... Charge de cette commission une de tes nombreuses maîtresses... Ça se trouve dans tous les magasins de cette denrée. Je parle de la laine et non des maîtresses.*
G. S. à son fils. 1853.

Parler politique occupe les hommes en général, parler toilette dédommage les femmes. Je ne suis ni homme ni femme sous ces rapports-là ; je suis enfant. Il faut qu'en faisant quelque ouvrage de mes mains, qui amuse mes yeux, ou

Le portrait le plus célèbre de George Sand par Auguste Charpentier.

... je reçois une douzaine de journaux dont je respecte tellement la bande que, sans Lina, qui me dit de temps en temps les nouvelles principales, je ne saurais pas si Isidore est encore de ce monde.
G. S. à Flaubert. 1869.

Il y a une place que j'affectionne surtout. C'est un banc placé dans un joli bois qui fait partie de mon jardin. C'est là que pour la première fois nos cœurs se révélèrent tout haut l'un à l'autre, c'est là que nos mains se rencontrèrent pour la première fois.
G. S. à Émile Regnault. 1831.

quelque promenade qui occupe mes jambes, j'entende autour de moi un échange de vitalité qui ne me fasse pas sentir le vide et l'horreur des choses humaines.
G. S. Histoire de ma vie.

J'ai souvent entendu dire à des femmes de talent que les travaux du ménage, et ceux de l'aiguille particulièrement, étaient abrutissants, insipides, et faisaient partie de l'esclavage auquel on a condamné notre sexe. Je n'ai pas de goût pour la théorie de l'esclavage, mais je nie que ces travaux en soient une conséquence. Il m'a toujours semblé qu'ils avaient pour nous un attrait naturel, invicible, puisque je l'ai ressenti à toutes époques de ma vie, et qu'ils ont calmé parfois en moi de grandes agitations d'esprit. Leur influence n'est abrutissante que pour celles qui les dédaignent et qui ne savent pas chercher ce qui se trouve dans tout : le bien-faire.
George Sand. Histoire de ma vie

George Sand par Nadar.
À gauche. *Je me suis tapissée en bleu tendre parsemé de médaillons blancs où dansent de petits personnages mythologiques.*
G. S. à Henry Harrisse. 1867.

Maurice Sand. *Mon fils était moi, par conséquent femme bien plus que ma fille qui était un homme pas réussi.*
G. S. à Gustave Flaubert. 1867.

MAURICE DUDEVANT-SAND

Le fils de George Sand se révéla dès son enfance un être très doux, affectueux et sensible. Il était si attaché à sa mère qu'il supporta très difficilement d'être séparé d'elle durant ses trois années scolaires au collège Henri-IV ; tombé malade, il dut retourner à Nohant pour achever ses études. Le jeune garçon fut dès lors élevé par trois précepteurs successifs, qui lui enseignèrent la littérature, les arts, les sciences et la philosophie. Mais sans doute se familiarisa-t-il autant avec ces disciplines en compagnie des hôtes de sa mère. Cette enfance privilégiée dans un milieu extrêmement brillant dota Maurice d'une maturité précoce. Attiré très jeune par le dessin et la peinture, il travailla pendant huit ans dans l'atelier d'Eugène Delacroix. Très bel

adolescent au teint ambré, aux yeux bruns magnifiques, il ressemblait alors beaucoup à sa mère, et le portrait que nous avons de lui en costume romantique et chapeau haut de forme a très souvent été pris pour celui de George Sand en habits masculins.
Dès son retour à Nohant, il se consacra au

Carnet de croquis de Maurice Sand, esquisse pour son livre *Le Monde des papillons* présenté au musée de Gargilesse. George Sand avait baptisé sa maison de Gargilesse, Villa Algira du nom d'un papillon rare découvert au cours de ses promenades.

dessin, qu'il préférait à la peinture à l'huile, et nous lui devons de nombreux paysages berrichons, ainsi qu'une suite de très belles illustrations du *Pantagruel* de Rabelais, soigneusement expurgé par George Sand, en vue d'une édition qui, hélas, sombra dans les folles journées de la révolution de 1848. Une autre partie de son œuvre est consacrée à l'illustration des romans de sa mère.
Mais les activités de Maurice ne se limitèrent pas au dessin et, des sciences naturelles à la géologie, du théâtre à la littérature, ses passions furent nombreuses. Pour écrire et dessiner *Le Monde des papillons,* il éleva des milliers de chenilles dans la serre de Nohant, aujourd'hui disparue. Pour illustrer l'histoire de la Comédie Italienne, sous le titre *Masques et Bouffons,* il étudia pendant des mois le sujet ; son ouvrage fait toujours référence pour quiconque s'intéresse à la Commedia dell'arte, ses dessins sont réédités actuellement en Italie.
Tout en s'occupant des terres de Nohant — il avait aussi une passion pour l'agriculture —, il trouva le temps d'écrire une dizaine de livres, études de l'époque antique ou romans de qualité, et d'assumer les fonctions de Maire et de capitaine d'une équipe de pompiers qu'il avait créée dans la commune.
Mais son œuvre la plus considérable demeure son fameux théâtre de marionnettes, qui devint le centre d'intérêt de la maison. Plus d'une centaine de petits personnages sculptés par lui et habillés par George Sand elle-même, une centaine de pièces de théâtre et une machinerie fort astucieuse font de cette scène en miniature l'un des hauts lieux de la Comédie humaine.
Le génie éclectique de cet homme aurait pu faire de lui une célébrité de son temps. Maurice préféra cultiver ses passions dans l'ombre d'une mère qu'il adorait, assurant autour d'elle, avec sa femme et ses enfants, une intelligente et heureuse vie de famille.

LINA CALAMATTA

Elle était la fille du maître-graveur italien Luigi Calamatta, et la petite-fille du grand sculpteur Houdon. Elle devint la belle-fille de George Sand, en épousant Maurice, selon son propre aveu bien plus par vénération pour elle que par amour pour lui. Sans doute ailleurs qu'à

Lina Calamatta. *Je sens bien que je te serai une mère véritable car j'ai besoin d'une fille et je ne peux pas trouver mieux que celle du meilleur de mes amis.*
G. S. à Lina Calamatta. 1862.

Nohant ce lien d'un bien curieux mariage eût tôt fait de se rompre mais, dans un petit univers comme celui-là où les femmes étaient souveraines, Lina n'eut aucun mal, par sa grâce et son dévouement, à s'imposer. George Sand l'adorait au point d'écrire (à Juliette Adam) : « Lina est une belle-fille comme jamais belle-mère n'en a eue. Elle possède toutes les qualités d'épouse, de mère, de fille. Elle est artiste, elle est poète. Elle est femme d'intérieur, elle excelle à recevoir, elle est tendre et dévouée. » Au grand soulagement de George Sand, en effet, Lina prit très rapidement en charge tous les soucis domestiques. « Madame Maurice » devint, à la perfection, la troisième maîtresse de maison de Nohant. La famille s'agrandit bientôt avec la naissance de deux petites filles, Aurore et Gabrielle, et l'on peut imaginer sans mal que ce fut dès lors, autour d'une grand-mère vénérée, le bonheur à Nohant.

Mais le destin de Lina n'était pas seulement celui d'une fée du logis en tous points exemplaire. Le travail considérable qu'elle accomplit, avant et après la mort de celle qu'elle appelait sa mère, copiant et classant toute la correspondance et les manuscrits, fut d'une aide précieuse pour la diffusion de l'œuvre de George Sand. La famille doit aussi à sa ténacité et son courage d'avoir pu conserver la maison de Nohant, malgré les difficultés financières surgies à la mort de Maurice.
Lina s'éteignit en 1901, laissant la charge du passé à ses deux filles.

SOLANGE CLÉSINGER

La fille de George Sand fut le seul membre de la famille qui ne vécut pas régulièrement à Nohant. Manifestant dès son enfance un caractère capricieux, très volontaire ou

Solange Sand par Clesinger. *Solange est une belle fille... alerte, vigoureuse, pleine de grâce dans sa force... caractère passionné, indomptable.*
Mémoires de Marie d'Agoult.

Sur la cheminée de la chambre de George Sand une statue en terre cuite de Clesinger.

paresseuse au gré de ses humeurs, Solange entretint toujours avec sa mère des relations difficiles. Après une malheureuse expérience d'éducation par une institutrice, George Sand se vit contrainte de confier sa fille à une institution privée de Paris. Mais malgré les compétences et la compréhension de la directrice, l'enfant rebelle ne parvint jamais à s'adapter à la vie collective et revint près de sa mère avant la fin de ses études.
La présence de Chopin à Nohant ne fit que compliquer une situation déjà bien tendue : la jalousie certaine de Solange fut probablement la cause principale de la rupture définitive entre George Sand et le musicien.
Mariée sur un coup de tête au sculpteur Clésinger, de quatorze ans son aîné, homme brutal et grossier, Solange ne rencontra que des orages là où elle avait peut-être espéré trouver un équilibre. La naissance d'une petite fille, un an plus tard, fut pour elle la première joie de son existence ; joie de courte durée : la petite Jeanne mourut quelques jours après sa naissance. La venue au monde d'une seconde Jeanne n'empêcha pas la séparation de ce ménage houleux et, cinq ans plus tard, le déséquilibre de Clésinger fut à l'origine du décès de la petite fille.
Poursuivie décidément par le malheur et la fatalité, Solange se lança alors dans une vie désordonnée, cherchant, d'aventures en aventures, une raison à son existence. Quelques retours vers sa mère se transformèrent en catastrophes, les deux femmes ne trouvant aucun terrain d'entente. Jusqu'à la mort de George Sand, Solange vécut d'une manière assez bohème, voyageant beaucoup en Italie et dans le midi de la France, où elle se fit construire une villa très excentrique, qu'elle dut revendre rapidement pour des raisons financières. Installée ensuite

rue Taitbout à Paris, sa petite garçonnière devint un salon littéraire fréquenté de la capitale. Elle voulut aussi écrire et publia deux romans, qui malgré de réelles qualités de composition n'obtinrent pas le succès escompté.
L'héritage de son père lui permit d'acheter près de Nohant le château de Montgivray, où elle se retira à la fin de sa vie, entourée d'un perroquet et d'une vieille jument, ses amis les plus proches. Elle y vécut en solitaire, oubliée de tous et constamment affligée de maladies plus ou moins imaginaires, en perpétuel désaccord avec son frère Maurice et sa famille.
Elle mourut à Paris en mars 1899, dans son pied-à-terre rue de la Ville-l'Évêque, et fut inhumée dans le petit cimetière de Nohant, après une vie assez déconcertante et, comme le montre bien sa correspondance, peu heureuse.

AURORE SAND

Toute la longue vie d'Aurore fut marquée par ses dix premières années, passées près de sa grand-mère.
Première fille de Maurice et de Lina, Aurore fut à Nohant une enfant extrêmement choyée. D'autant plus que George Sand, devenue « la bonne dame de Nohant », se passionna pour ce jeune esprit très éveillé et entreprit d'en développer au plus tôt les capacités. « Elle me racontait des histoires à n'en plus finir », se souviendra plus tard Aurore. Elle lui apprit aussi à lire dans *L'Iliade* et *l'Odyssée* et lui donnait, à cinq ans, « deux heures de leçons et autant de causerie et de petits renseignements sous forme de jeux chaque jour ».
Sans doute cet enseignement, durant ces années qui furent les plus belles de Nohant, préserva-t-il un peu trop Aurore de la réalité moins heureuse du monde extérieur. George Sand le voulait ainsi, qui écrivait : « Je ne veux pas, moi, non, je ne veux pas qu'on apprenne de gaîté de cœur à l'enfant l'horreur de la vie, la méchanceté des êtres, la laideur des choses... Je voudrais qu'il fût possible de laisser l'enfant grandir sans savoir que le mal existe ! »
Aurore vécut ainsi dans un univers de rêves, favorisant d'ailleurs une imagination des plus vives. Mais le réel lui valut aussi quelques grandes déceptions. À plus de 90 ans, Aurore racontait encore sa découverte de Paris, en compagnie de sa grand-mère qui allait bientôt mourir : elle s'attendait à trouver une ville aussi blanche et ensoleillée que celles qu'on dépeint dans les contes orientaux ; ce furent des murs gris et tristes, des rues boueuses et mal pavées,

Aurore Sand. *Elle est si réussie comme intelligence et comme bonté, qu'elle me fait l'effet d'un rêve.* G. S. à Flaubert. 1868.

un voile de pluie fine sur des visages sombres qui l'accueillirent à son arrivée.
Aurore n'avait que dix ans en 1876, lorsque mourut cette grand-mère qu'elle adorait, et ce fut déjà comme la fin d'un rêve. La petite fille enjouée, épanouie, devint très vite une adolescente un peu trop sage, apprenant la vie avec le plus grand sérieux. Aussi, lorsqu'elle

rencontra Frédéric Lauth, beau, séducteur et peintre de grand talent, elle engagea dans le mariage toute la fougue et toute la tendresse accumulées depuis son enfance. Ce fut pour elle encore une amère déception, une blessure profonde de découvrir, après seulement six mois de vie conjugale, les écarts de conduite de celui qu'elle avait placé au-dessus de tout.
Mais Aurore n'était pas femme à se laisser abattre et, pour oublier ses déboires conjugaux, se mit à peindre, à écrire, à voyager. Ses nombreux voyages en Espagne lui inspirèrent deux romans, de nombreuses nouvelles et une série de peintures de Séville. L'Espagne et son soleil la passionnèrent jusqu'aux années tragiques de la guerre civile. Durant la Deuxième Guerre mondiale, elle accueillit à Nohant de nombreux réfugiés, dont des Belges — ce qui lui valut les remerciements de la reine — et participa à la Résistance en cachant des patriotes et des aviateurs anglais.
Après la guerre, Aurore entreprit le classement des archives familiales, triant lettres et manuscrits en compagnie de son filleul Georges Smeets, qui devint plus tard son fils adoptif, sous le nom de Georges Smeets-Dudevant-Sand. Ils organisèrent ensemble les donations à la bibliothèque historique de la Ville de Paris (B.H.V.P.) (les manuscrits et les lettres autographes, les dessins et divers documents) après l'importante autre donation faite par Aurore au musée Carnavalet (en 1923, les souvenirs précieux, le portrait du Maréchal de Saxe par Quentin de La Tour, sa tabatière en or et diamants, les portraits de famille et les bijoux de George Sand et d'Aurore de Saxe).
Enfin, Aurore concrétisa la donation à l'État du domaine de Nohant, pratiquement abandonné par l'Académie française, et à sa

Aurore et Gabrielle, Lolo et Titutte, petites-filles de George Sand. *J'ai trouvé mes deux fillettes jolies et douces toujours... Aurore... le fait est qu'il est impossible de ne pas idolâtrer cette petite.*
G. S. à Flaubert. 1868.

Gabrielle par Frédéric Lauth, son beau-frère.

charge complète depuis la mort de sa sœur Gabrielle.
C'est à quatre-vingt-quinze ans et huit mois qu'Aurore Sand alla prendre sa place dans le petit cimetière de Nohant, en 1961, aux côtés d'Aurore de Saxe, fermant ainsi la ronde des dames de Nohant.

GABRIELLE SAND-PALAZZI

Très choyée dans son enfance, comme sa sœur Aurore, la plus jeune des petites-filles de George Sand, surnommée « Titite », fut durant sa vie très brève une jeune femme enjouée, plutôt insouciante, qui donnait l'impression de se promener dans l'existence comme dans un rêve.
Mariée très jeune et pour très peu de temps, elle vécut à Nohant comme une châtelaine, partageant son temps entre la chasse, la photographie et un nouvel engin qui faisait déjà fureur, la bicyclette. Son goût prononcé pour les « chinoiseries » l'incita à remplacer en partie le mobilier Louis XVI de Nohant en meubles de bambou et à transformer les salons en boudoirs orientaux.
À la mort de sa mère, c'est elle qui devint propriétaire du château, tandis que sa sœur Aurore se voyait confier tous les manuscrits et les objets précieux de la famille. Mais Gabrielle n'avait plus que huit ans à vivre.
L'avant-dernière des dames de Nohant mourut en 1909, à quarante et un ans, après avoir légué la maison familiale, dont Aurore gardait l'usufruit, à l'Académie française.

EDMOND PLAUCHUT

Sa verve et sa jovialité firent longtemps les délices de Nohant.
Écrivain, aventurier, explorateur, journaliste, Plauchut dut s'exiler à cause de ses idées républicaines et s'embarqua un jour, à Anvers, sur un navire marchand à destination de Singapour, le *Rubens*. Le navire fit route vers le sud, rencontra une tempête au large des îles du Cap-Vert et s'échoua sur les brisants de Boa-Vista. Du naufrage Plauchut ne put sauver qu'une cassette renfermant quelques papiers précieux, dont sa correspondance avec George Sand, qu'il n'avait jamais encore rencontrée. Sans papiers d'identité, mal reçu par les autorités de l'île, il eut la chance de rencontrer, après de nombreuses péripéties, un jeune Portugais décidé à l'aider. Celui-ci lui avait demandé des références pour entamer des démarches et régulariser sa situation ; Plauchut lui avait montré les lettres de George Sand. Il avait suffi au jeune homme de lire le nom de Sand pour devenir son ami. Grâce à lui, Plauchut fut rapatrié, sans argent et sans papiers. Il fit ensuite de nombreux voyages, et fortune faite, débarqua un jour à Marseille. Ayant appris que George Sand séjournait à Tamaris — c'était en 1861 —, Edmond Plauchut se présenta à elle et lui conta son

aventure. Dès ce jour, les liens de l'amitié unirent Sand au jeune voyageur, qui conquit sans peine le reste de la famille, surtout les deux petites filles. Grâce aux recommandations de George Sand, il devint collaborateur du *Temps* et de la *Revue des Deux-Mondes*. Devenu un habitué de Nohant, il participa à tous les amusements, écrivit des pièces pour le théâtre de marionnettes, tira des feux d'artifice à la gloire de George Sand mais surtout, aimant chasser dans les environs et bon méridional disciple de Tartarin, amusa toute la maisonnée en racontant ses « exploits ». Ce qui obligea Aurore à tenir régulièrement l'« État des Chasses de Monsieur Plauchut »... pour rétablir la vérité. Il devint bientôt indispensable, et ses absences furent redoutées. « Nohant est bien muet, écrivait George Sand à un intime, depuis qu'on n'entend plus la meute et le cor de Plauchut. » Resté à Nohant après la mort de George Sand, il consacra sa vie à cette famille qui l'avait adopté. Tous les amis connaissaient sa silhouette de robuste vieillard au teint coloré, au menton orné d'une petite barbiche méridionale, portant comme Mistral un large feutre sur l'oreille et une fleur à sa boutonnière.

Il est le seul étranger à reposer dans le petit cimetière familial, ayant lui-même composé son épitaphe : « On me croit mort, mais je vis ici ! »

ROBERT FRANCO

Les visiteurs qui se présentent à la porte du château sont reçus par un véritable amoureux de George Sand. Pourtant, quand il fut nommé guide à Nohant par les Monuments historiques, en 1969, Robert Franco ne savait pas très bien qui était l'écrivain et connaissait à peine le passé des lieux. Mais il fut aussitôt conquis par leur charme, leur magie, comme si la dame de Nohant les habitait encore... Depuis lors, il anime la maison d'une ferveur très communicative.
Aujourd'hui, Robert Franco est devenu une figure célèbre du pays berrichon, en même temps qu'un élément primordial de l'univers « sandien ».
Je souhaite aux visiteurs de parcourir la maison en sa compagnie. Avec lui, la visite devient une œuvre d'art, un moment privilégié. Le théâtre continue à Nohant, un nouvel acteur l'anime. Et sans cette nouvelle vie, on ne saurait ici goûter pleinement le doux contraste de la nostalgie, quand on se promène en silence pour mieux entendre le passé.

Edmond Plauchut dans la cour de la ferme attenante au château. Au fond, l'entrée de la grange où ont lieu, de nos jours, les Fêtes Romantiques de Nohant.

Hôtes et visiteurs

Cher arrivant, soyez le bien venu.
Vous ne trouverez peut-être personne de levé, que le vénérable serviteur berrichon à la blouse classique.
Nous nous couchons tard, pour avoir voulu finir un travail finissant.
Nous avons pensé que votre premier souhait serait de manger un peu, de dormir un peu, de vous installer un peu, car j'espère bien que nous vous tenons pour plusieurs jours.
Commandez donc au berrichon ce que vous voulez boire ou manger, et l'heure à laquelle vous voulez qu'il vous réveille.
On sonne le premier coup du déjeuner à 9 h. On déjeune à 10. — Moi, j'arrive à la fin de ce repas. Bonsoir donc et bonjour.

G. S. à Émile de Girardin. 1855.

CHOPIN

A séjourné à Nohant en 1839 puis de 1841 à 1846.

Pendant sept étés, en 1839, puis de 1841 à 1846, la maison bourdonnera de musique. Et quelle musique ! une partie importante de la production de Chopin a vu le jour ici même. George Sand raconte :

« Sa création était spontanée, miraculeuse. Il la trouvait sans la chercher, sans la prévoir. Elle venait sur son piano soudaine, complète, sublime, ou elle se chantait dans sa tête pendant une promenade, et il avait hâte de se la faire entendre à lui-même en la jetant sur l'instrument. Mais alors commençait le labeur le plus navrant auquel j'ai jamais assisté. C'est une suite d'efforts, d'irrésolutions et d'impatiences pour ressaisir certains détails du thème de son audition : ce qu'il avait conçu tout d'une pièce, il l'analysait trop en voulant l'écrire, et son regret de ne pas le retrouver net selon lui, le jetait dans une sorte de désespoir. Il s'enfermait dans sa chambre des journées entières, pleurant, marchant, brisant ses plumes, répétant et changeant cent fois une mesure, l'écrivant et l'effaçant autant de fois et recommençant le lendemain avec une persévérance minutieuse et désespérée. Il passait six semaines sur une page pour en revenir à l'écrire telle qu'il l'avait tracée du premier jet. »

On n'ignorait pas d'ailleurs que Chopin pouvait être un imitateur étonnant, et George Sand nous a dit comment il se transformait subitement en Anglais flegmatique, puis en vieillard impertinent, en Anglaise sentimentale et ridicule, en juif sordide. Il brillait aussi comme meneur de jeu, « improvisant au piano » pour accompagner la pantomine et les ballets comiques des jeunes gens qui se lançaient dans la Commedia dell'arte.

Georges Lubin. Extrait de « Quelques belles soirées de Nohant », bulletin des Amis de George Sand. Numéro spécial : Nohant.

Chopin est au piano et ne s'aperçoit pas qu'on l'écoute. Il improvise comme au hasard. Il s'arrête.

« Eh bien ! Eh bien ! s'écrie Delacroix, ce n'est pas fini !

— Ce n'est pas commencé. Rien ne me vient... rien que des reflets, des ombres, des

reliefs qui ne veulent pas se fixer. Je cherche la couleur ; je ne trouve même pas le dessin.
— Vous ne trouverez pas l'une sans l'autre, reprend Delacroix, et vous allez les trouver tous deux.
— Mais si je ne trouve que le clair de lune ?
— Vous aurez trouvé le reflet d'un reflet. »
George Sand. Impressions et Souvenirs

Il voulait toujours Nohant et ne supportait pas Nohant... ses désirs campagnards étaient vite assouvis. Il se promenait un peu, s'installait sous un arbre ou cueillait quelques fleurs. Puis il retournait s'enfermer dans sa chambre.
George Sand. Correspondance.

Le domestique Jean Alaphilippe, qu'on a ramené de Paris un peu trop dégourdi au gré de la maîtresse de maison, monte dès le matin allumer le feu dans la cheminée de Chopin, avant qu'on apporte l'habituel chocolat. La chambre, tapissée de papier bleu et rouge d'inspiration chinoise, est très confortable, avec son épais tapis ; c'est une des pièces les mieux exposées de la maison, au midi, sur le jardin, juste au-dessus de la salle à manger. Chopin y travaille, comme sa compagne dans le bureau voisin, presque tout l'après-midi et il faut veiller à ce que le musicien, encore convalescent et fragile, n'y prenne pas froid... Chopin s'est réjoui de la meilleure résonance de son piano grâce aux aménagements acoustiques apportés à son appartement d'après ses directives.
Comme chaque année, elle (George Sand) a organisé à l'avance leur séjour à Nohant et pensé aux moindres détails pour le confort du musicien. Il avait été incommodé tout l'été précédent, sans se plaindre, par une très mauvaise odeur dans sa chambre et George en accusait la colle du tapissier. Supposant que Bahuet, l'artisan peintre de La Châtre, avait employé « quelque chose qui sentait Montfaucon » pour l'encollage, elle a prié, dès le mois d'avril, Hippolyte Chatiron de se

Chopin par George Sand. *Bientôt, je l'enlève à ses élèves idolâtres, et je l'emmène à Nohant où il faudra bien qu'il mange beaucoup, qu'il dorme beaucoup, et qu'il compose un peu.*
G. S. à Louise Jedrzejewicz. 1846.

moucher le nez, de ne pas y fourrer de tabac et de venir bien flairer tout cela. Il faudra sans doute arracher l'ancienne tapisserie et acheter un nouveau papier, bien sûr sans le dire à Chopin qui refuse qu'on fasse, pour lui, des dépenses.
Extrait de Chopin chez George Sand à Nohant par Sylvie Delaigue-Moins

FRANZ LISZT ET MARIE D'AGOULT

Un long séjour en 1837.

Ce soir-là, pendant que Franz jouait les mélodies les plus fantastiques de Schubert, la princesse [Marie d'Agoult] se promenait dans l'ombre autour de la terrasse ; elle était vêtue d'une robe pâle, un grand voile blanc enveloppait sa tête et presque toute sa taille élancée. Elle marchait d'un pas mesuré qui semblait ne pas toucher le sable et décrivait un grand cercle coupé en deux par le rayon d'une lampe autour de laquelle toutes les phalènes du jardin venaient danser des sarabandes délirantes. La lune se couchait derrière les grands tilleuls et dessinait dans l'air bleuâtre le spectre noir des sapins immobiles. Un calme profond régnait parmi les plantes, la brise était tombée mourante épuisée sur les longues herbes aux premiers accords de l'instrument sublime. Le rossignol luttait encore, mais d'une voix timide et pâmée. Il s'était approché dans les ténèbres du feuillage et plaçait son point d'orgue extatique, comme un excellent musicien qu'il est, dans le ton et dans la mesure.

Nous étions tous assis sur le perron, l'oreille attentive aux phrases tantôt charmantes, tantôt lugubres d'Erlkœnig ; engourdis comme toute la nature dans une morne béatitude, nous ne pouvions détourner nos regards du cercle magnétique tracé devant nous par la muette sibylle au voile blanc. Elle se ralentit peu à peu lorsque l'artiste passa par une série de modulations étrangement tristes à la tendre mélodie.

Alors sa démarche prit le milieu entre l'andante et le maestoso et tous ses mouvements avaient tant de grâce et d'harmonie qu'on eût dit que les sons sortaient d'elle comme d'une lyre vivante. Lorsqu'elle traversait lentement le rayon de la lampe, son voile blanc dessinait sur le fond noir du tableau des contours fins et déliés, tandis que le reste flottait vague et vaporeux dans le mystère de la nuit ; puis elle approchait de nous comme si elle eût voulu se poser sur le lilas blanc, mais insaisissable comme les ombres, elle s'effaçait lentement. Elle ne semblait pas s'enfoncer sous les voûtes obscures du feuillage, l'obscurité semblait la prendre et l'entraîner dans ses profondeurs en épaississant autour d'elle des rideaux de ténèbres. Au bout de la terrasse elle était à peine visible, puis elle se perdait tout à fait dans les sapins et reparaissait tout à coup dans le rayon de la lampe comme une création spontanée de la flamme. Puis elle s'effaçait encore et flottait indécise et bleuâtre sur la clairière. Enfin elle vint s'asseoir sur une branche flexible qui ne plia pas plus que si elle eût porté un fantôme. Alors la musique cessa, comme si un lien mystérieux eût attaché la vie

Marie d'Agoult. *Je l'ai vue jeune encore, éprise et vaillante, s'accommodant de tout et belle d'insouciance.*
G. S. à Henry Harrisse. 1867.

des sons à la vie de cette belle femme pâle qui semblait prête à s'envoler vers les régions de l'intarissable harmonie.

Elle se leva, glissa par un inexplicable mouvement d'ascension vers le haut du perron et disparut dans la salle ténébreuse. Un instant après, nous vîmes une vraie châtelaine du Moyen Âge traverser la salle voisine à la clarté des flambeaux. Sa chevelure blonde rayonnait comme une auréole d'or et son voile blanc, jeté

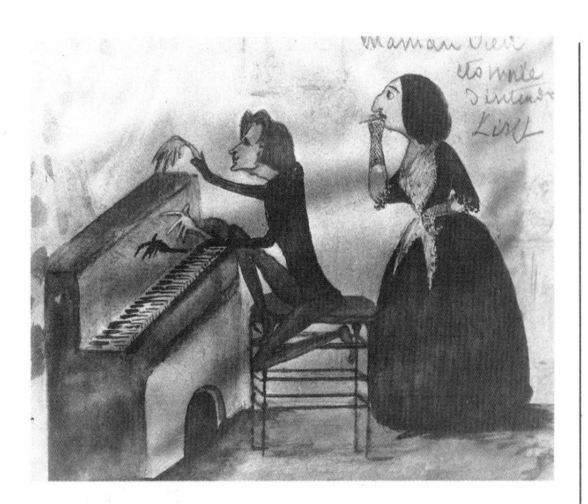

Franz Liszt et George Sand - Caricature par George Sand.

sur ses épaules, voltigeait comme un nuage dans le mouvement rapide et léger de sa démarche impérieuse. Les doigts errant sur le piano firent silence, les flambeaux s'éteignirent et la vision rentra dans la nuit. »

George Sand, texte publié posthume dans les Entretiens journaliers avec le Docteur Piffoël.

La chambre d'Arabella [Marie d'Agoult] est au rez-de-chaussée, sous la mienne. Là est le beau piano de Franz. Au-dessous de la fenêtre d'où le rideau de verdure des tilleuls m'apparaît, est la fenêtre d'où partent ces sons que l'univers voudrait entendre, et qui ne font ici de jaloux que les rossignols. Artiste puissant, sublime dans les grandes choses, toujours supérieur dans les petites. Triste pourtant et rongé d'une plaie secrète. Homme heureux, aimé d'une femme belle, généreuse, intelligente et chaste — que te faut-il, misérable ingrat ? Ah ! si j'étais aimée, moi !...
Quand Franz joue du piano, je suis soulagée. Toutes mes peines se poétisent, tous mes instincts s'exaltent. Il fait surtout vibrer la corde généreuse. Il attaque aussi la note colère, presque à l'unisson de mon énergie, mais il n'attaque pas la note haineuse. Moi, la haine me dévore. La haine de quoi ? Mon Dieu, ne trouverai-je jamais personne qui vaille la peine d'être haï ? Faites-moi cette grâce, je ne vous demanderai plus de me faire trouver celui qui mériterait d'être aimé...
J'aime ces phrases entrecoupées qu'il jette sur le piano, et qui restent un pied en l'air, dansant dans l'espace comme des follets boiteux. Les feuilles des tilleuls se chargent d'achever la mélodie, tout bas, avec un chuchotement mystérieux, comme si elles se confiaient l'une à l'autre le secret de la nature...

George Sand, même recueil.

BALZAC

Visite Nohant en février 1838.
« J'ai abordé le château de Nohant à 7 heures et demie du soir, et j'ai trouvé le camarade George Sand dans sa robe de chambre fumant un cigare après le dîner, au coin de son feu, dans une immense chambre solitaire. Elle avait de jolies pantoufles jaunes ornées d'effilés, des

Balzac par Nadar. *On se demande quel ange et quel démon ont veillé à ses côtés pour lui révéler tout l'idéal et tout le positif, tout le bien et tout le mal dont il nous a légué la peinture.*
G. S. Variétés Littéraires.

bas coquets et un pantalon rouge.
Voilà pour le moral ; au physique, elle avait doublé son menton comme un chanoine, elle n'a pas un seul cheveu blanc, malgré ses effroyables malheurs, son teint bistré n'a pas varié, ses beaux yeux sont tout aussi éclatants, elle a l'air tout aussi bête quand elle pense, car, comme je le lui ai dit après l'avoir étudiée, toute sa physionomie est dans l'œil. Elle est à Nohant depuis un an, fort triste, et travaillant énormément. Elle mène à peu près ma vie. Elle se couche à six heures du matin et se lève à midi, moi je me couche à six heures du soir et je me lève à minuit, mais naturellement je me suis conformé à ses habitudes, et nous avons pendant trois jours bavardé depuis cinq heures du soir après le dîner jusqu'à cinq heures du matin... C'est à propos de Liszt et de Mme d'Agoult qu'elle m'a donné le sujet des *galériens* ou des *amours forcés* que je vais faire, car, dans sa position, elle ne le peut pas. »
Lettre à Mme Hanska, 2 mars 1838.

DELACROIX

A fait trois longs séjours à Nohant en 1842, 1843 et 1847.

Cher ami, je suis ici depuis plusieurs jours, et ai fait le voyage très heureusement sauf les inconvénients qui accompagnent tous les voyages et surtout une chaleur de chien et une poussière idem. À peine installé, j'éprouve que mes projets de ne rien faire ne peuvent pas tenir... Je vais m'amuser avec le fils de la maison à entreprendre un petit tableau pour l'église du lieu...
Le lieu est très agréable et les hôtes on ne peut plus aimables pour me plaire. Quand on n'est pas réuni pour dîner, déjeuner, jouer au billard ou se promener, on est dans sa chambre, à lire, ou à se goberger sur un canapé. Par instant, il vous arrive par la fenêtre entrouverte sur le jardin des bouffées de la musique de Chopin qui travaille de son côté ; cela se mêle au chant des rossignols et à l'odeur des rosiers : Tu vois que

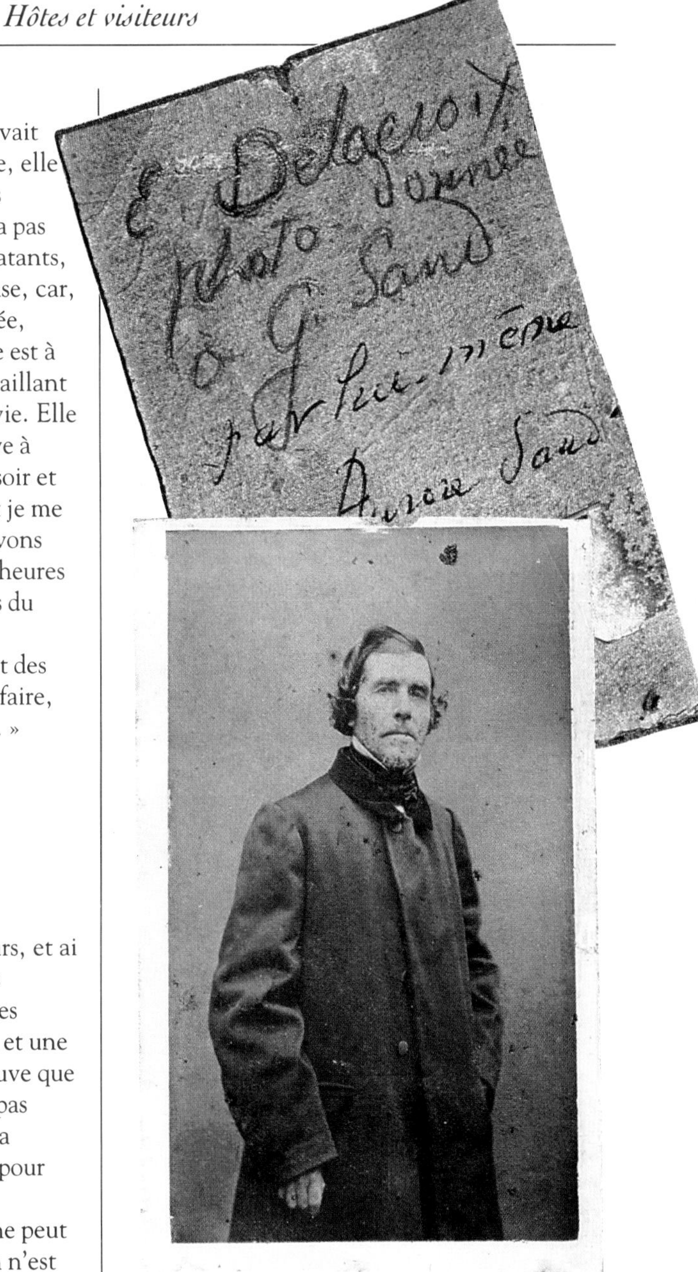

Delacroix, photographie qu'il a offerte à George Sand.
Delacroix fut un de mes premiers amis dans le monde des artistes... Je ne sais pas si Delacroix a des imperfections de caractère. J'ai vécu près de lui dans l'intimité de la campagne et dans la fréquence des relations suivies sans jamais apercevoir en lui une seule tache, si petite qu'elle fût. Et pourtant nul n'est plus liant, plus naïf et plus abandonné dans l'intimité.
G. S. Histoire de ma vie.

jusqu'ici je ne suis pas très à plaindre, et cependant il faut que le travail vienne donner le grain de sel à tout cela. Cette vie est trop facile. Il faut que je l'achète par un peu de cassement de tête ; comme le chasseur qui mange avec plus d'appétit quand il s'est écorché aux buissons, il faut s'évertuer un peu après les idées, pour sentir le charme de ne rien faire...

Eugène Delacroix. Correspondance, t. II.

... Nohant qui est dans mon cœur et dans ma pensée comme un des rares endroits où tout me ravit, me captive et me console.

Eugène Delacroix, le 10 août 1846.

Je l'ai vu, chez nous, faire des bouquets de fleurs, les arranger à sa guise et les peindre hardiment et largement pour en saisir les tons et en comprendre ce qu'il appelait l'*architecture*. Cet homme du monde si fin, si réservé, si porté à railler les artistes exubérants (les artistes *chevelus* d'alors), ne travaillait guère sans fièvre et sans expansion vibrante : « Ces fleurs me rendront fou, disait-il. Elles m'éblouissent, elles m'aveuglent. Je ne peux pas me décider à les éteindre, tant je suis amoureux de leur fraîcheur et de leur éclat. Il faut pourtant que j'en sacrifie les trois quarts pour les mettre à leur plan et faire sortir de la toile celles qui viennent à moi. » J'avais alors de nombreux échantillons de papiers peints, que je m'étais procurés pour les imiter en tapisserie. Il s'extasiait devant ces échantillons, devant ces bouquets, ces semis et ces guirlandes de fleurs d'un effet si puissant et d'un travail si sobre. Ces gens-là sont nos maîtres, disait-il, si j'avais à recommencer ma vie, j'irais à leur école !

G. S. Le théâtre de Marionnettes de Nohant.

THÉOPHILE GAUTIER

N'est venu qu'une fois à Nohant en 1863.

« Ma chère Nini, je suis arrivé à Nohant en bon état, et j'y ai reçu l'accueil le plus amical. Il y a Marchal et le petit Dumas. L'endroit est très solitaire quoique sur le bord de la route. La maison demi-château a bonne figure avec ses lierres et ses vieilles murailles grises au milieu d'un vaste enclos, moitié parc, moitié jardin. Le tout assez négligé et juste au point où je l'aime. J'ai une grande chambre très commode avec un excellent lit, une toilette et tout ce

Théophile Gautier par Nadar.

qu'il faut. J'ai passé ma journée à regarder jouer aux boules et à me promener dans les allées dans un calme profond dont j'avais besoin car j'étais encore fatigué de la fête. Madame Sand est la tranquillité même. Elle roule sa cigarette, la fume et parle peu car elle travaille toutes les nuits jusqu'à trois ou quatre heures du matin et jusqu'à midi, une heure, elle est comme une somnambule puis elle commence à s'éveiller et rit des calembours de Dumas qu'elle ne comprend qu'après tout le monde. Il est impossible d'être meilleure femme et meilleur garçon à la fois. J'ai vu le théâtre ; il est très bien arrangé et fourni de quatre-vingts décors, mais il a coûté petit à petit une vingtaine de mille francs. Maurice Sand, Lambert, Manceau et d'autres amis y ont travaillé des hivers entiers. Dans ce moment-ci la troupe est dispersée par l'ouverture de la chasse et je ne sais pas si l'on pourra jouer une pièce improvisée. Mais l'on exécutera probablement quelque scène détachée.

Lettre à Ernesta Grisi. Collection Lovenjoul.

« Ah ! mais à propos, Gautier, vous revenez de Nohant, de chez Madame Sand, est-ce amusant ?

« Comme un couvent de frères Moraves ! Je suis arrivé le soir. C'est loin du chemin de fer. On m'a mis ma malle dans un buisson. Je suis entrée par la ferme, avec des chiens qui me faisaient peur. On m'a fait dîner. La nourriture est bonne ; mais il y a trop de gibier et de poulets : moi, ça ne me va pas. Il y avait là Marchal le peintre, Alexandre Dumas fils, Madame Calamatta.

« Et quelle est la vie à Nohant ?

« On déjeune à dix heures, au dernier coup, quand l'aiguille est sur dix heures, chacun se met à table sans attendre. Madame Sand arrive avec un air de somnambule, reste endormie tout le déjeuner. Après le déjeuner, on va dans le jardin, on joue au cochonnet, ça la ranime. Elle s'assied et se met à causer. On cause généralement à cette heure-là de choses de prononciation ; par exemple sur la prononciation d'*ailleurs* et de *meilleur*. Mais le grand plaisir de la causerie de la société, ce sont les plaisanteries stercoraires.

« Bah !

La scène du théâtre. *Nous menons une vie de cabotins. Nohant n'est plus Nohant, c'est un théâtre, mon encrier n'est plus une fontaine de romans, c'est une citerne de pièces de théâtre… Le théâtre est grand comme un mouchoir de poche, le public se compose de 50 personnes, ni plus ni moins, tous amis intimes, domestiques ou paysans du voisinage…*
G. S. à Pauline Viardot. 1851.

Mais par exemple, pas le plus petit mot sur le rapport des sexes ! Je crois qu'on vous flanquerait à la porte si vous y faisiez allusion...
« À trois heures, Madame Sand remonte faire de la copie jusqu'à six heures. On dîne. Seulement on vous prie de dîner un peu vite, pour laisser le temps de dîner à Marie Caillot (sic). C'est la bonne de la maison, une petite

La boîte aux lettres du couloir des chambres évoquée par Théophile Gautier.

fadette que Madame Sand a prise dans le pays, pour jouer dans les pièces de son théâtre, et qui vient au salon, le soir, après dîner. Après dîner, Madame Sand fait des patiences sans dire mot jusqu'à minuit... Par exemple, le second jour, j'ai commencé à dire que si l'on ne parlait pas littérature, je m'en allais... Ah, littérature ! ils semblaient revenir de l'autre monde. Il vous faut dire qu'en ce moment, il n'y a qu'une chose dont on s'occupe là-bas, la minéralogie. Chacun a son marteau, on ne sort pas sans.

« Enfin j'ai déclaré que Rousseau était le plus mauvais écrivain de la langue française, et ça nous a fait une discussion avec Madame Sand jusqu'à une heure du matin.
Par exemple, Manceau lui a machiné ce Nohant pour la copie ! Elle ne peut s'asseoir dans une pièce sans qu'il surgisse des plumes, de l'encre bleue, du papier à cigarettes, du tabac turc et du papier à lettre rayé. Et elle en foire ! Car elle recommence de minuit jusqu'à quatre heures. Enfin, vous savez ce qui lui est arrivé, quelque chose de monstrueux ! Un jour, elle finit un roman à une heure du matin : « Tiens, dit-elle, j'ai fini ! » Et elle en recommence un autre. La copie est une fonction chez elle...
« Au reste, on est très bien chez elle. Par exemple, c'est un service silencieux. Il y a une boîte qui a deux compartiments, dans le corridor : l'un est pour les lettres par la poste, l'autre pour la maison. Dans celui-ci, on écrit tout ce dont on a besoin, en indiquant son nom et sa chambre. J'ai eu besoin d'un peigne, j'ai écrit : M. Théophile Gautier, telle chambre, ma demande, et le lendemain à six heures, j'avais trente peignes à choisir. »
Extrait du Journal des Goncourt (Flammarion).

FLAUBERT

À Nohant à deux reprises en 1869 et 1873.

Ah ! Si je pouvais t'enlever jusque-là ! et si tu pouvais, si tu voulais, durant cette seconde quinzaine d'octobre où tu vas être libre, venir me voir ici !...
Voyons, un peu de courage, on part de Paris à 9 h 1/4 du matin on arrive à 4 h à Châteauroux on trouve ma voiture et on est ici à 6 pour

George Sand par Nadar qui fit d'elle un grand nombre de portraits entre 1863 et 1869. *Pour les vingt-cinq dernières années, il n'y a plus rien d'intéressant. C'est la vieillesse très calme et très heureuse en famille... Mon temps se passe à amuser les enfants, à faire un peu de botanique en été, de grandes promenades... et des romans quand je peux trouver deux heures dans la journée et deux heures le soir.*
G. S. à Louis Ulbach. 1869.

dîner. Ce n'est pas le diable, et ici on vit entre soi comme de bons ours, on ne s'habille pas, on ne se gêne pas, et on s'aime bien. Dis oui…
Gustave Flaubert à G. S. Paris, 1869.

Voilà le beau temps, chez nous du moins et nous nous préparons à nos fêtes de Noël en famille, au coin du feu. J'ai dit à Plauchut de tâcher de t'enlever, nous t'attendons. Si tu ne peux venir avec lui, viens du moins faire le réveillon et te soustraire au jour de l'an de Paris. C'est si ennuyeux ! Lina me charge de te dire qu'on t'autorisera à ne pas quitter ta robe de chambre et tes pantoufles. Il n'y a pas de dames, pas d'étrangers. Enfin tu nous rendras bien heureux et il y a longtemps que tu promets.
G. S. à Flaubert. 1869.

Plauchut nous écrit que tu promets de venir le 24. Viens donc le 23 au soir, pour être reposé dans la nuit du 24 au 25 et faire réveillon avec nous. Autrement tu arriveras de Paris fatigué et endormi, et nos bêtises ne t'amuseront pas. Tu viens chez des enfants, je t'en avertis, et comme tu es bon et tendre, tu aimes les enfants…
Si tu ne venais pas, nous serions désolés et tu serais un gros ingrat. Veux-tu que je t'envoie une voiture à Châteauroux le 23 à 4 h. J'ai peur que tu ne sois mal dans cette patache qui fait le service, et il est si facile de t'épargner deux h 1/2 de malaise !
G. S. à Flaubert. 1869.

Nos lettres se sont croisées. Je te priais, je te prie encore de ne pas venir la veille de Noël, mais l'avant-veille de Noël pour faire réveillon le lendemain soir. La veille, c'est-à-dire le 24, voici le programme. On dîne à 6 h juste, on fait l'arbre de Noël et les marionnettes pour les enfants afin qu'ils puissent se coucher à 9 h. Après ça on jabote, et on soupe à minuit. Or la diligence arrive au plus tôt ici à 6 h 1/2, et on ne dînerait qu'à 7 h ce qui rendrait impossible la grande joie de nos petites trop attardées. Donc il faut partir jeudi 23 à 9 h du matin, afin qu'on se voie à l'aise, qu'on s'embrasse tous à loisir, et qu'on ne soit pas dérangé de la joie de ton arrivée par des fanfans impérieux et fous. Il faut rester avec nous bien longtemps, bien longtemps ; on refera des folies pour le jour de l'an, pour les rois. C'est une maison bête, heureuse et c'est le temps de la récréation après le travail. Je finis ce soir ma tâche de l'année. Te voir, cher vieux ami bien aimé, serait ma récompense, ne me la refuse pas.
G. S. à Flaubert. 1869.

Pluie et neige toute la journée. On est gai. Je descends déjeuner avec les autres à onze heures. Flaubert donne aux fillettes des étrennes qui les charment. Lolo porte son bébé toute la journée. Elle joue dans ma chambre où je reçois Flaubert et Plauchut. Et elle fait leur admiration. Elle a sa belle toilette, Titite aussi. Tous les jeunes gens viennent et dînent. Après les marionnettes, la tombola, un décor féérique. Flaubert s'amuse comme un moutard.
Agenda de G. S. 1869.

On déjeune à midi. Tout le monde est resté, sauf Planet. Flaubert nous lit de trois à six heures et demie sa grande féerie, qui fait grand plaisir, mais qui n'est pas destinée à réussir. Elle nous plaît fort ; on en cause beaucoup. Comme on dîne tard, Lolo dîne avec sa sœur. Je l'ai à peine vue aujourd'hui. On est très gai ce soir. Flaubert nous fait crever de rire avec *l'Enfant prodigue*.
Agenda de G. S. 1869.

Pendant toute la route je n'ai pensé qu'à Nohant. Je ne peux pas vous dire combien je suis attendri de votre réception. Quels braves et aimables gens vous faites tous ! Maurice me

J'ai oublié de prendre trois feuilles de tulipier, il faut me les envoyer dans une lettre, c'est pour quelque chose de cabalistique.
G. S. à Flaubert. 1866.

Le changement de tes projets
nous désole, cher ami, mais
devant tes ennuis et tes cha-
grins, nous n'osons pas nous
plaindre

semble l'homme heureux par excellence. Et je ne puis m'empêcher de l'envier, voilà !
G. S. à Flaubert. 1867.

Je ne vous ai pas assez dit combien j'avais trouvé charmante l'hospitalité de Nohant. Ce sont les meilleurs moments de l'an 1869, qui n'a pas été doux pour moi !
Gustave Flaubert à G. S. 1870.

Enfin, triste ou gai, je t'aime et je t'attends toujours, bien que tu ne parles jamais de venir nous voir et que tu en rejettes l'occasion avec empressement ; on t'aime chez nous quand même, on n'est pas assez littéraire pour toi, chez nous, je le sais, mais on aime et ça emploie la vie.
G. S. à Flaubert. 1872.

Enfin ! le soleil est revenu, il fait beau. Lina fête le printemps à déjeuner : il y a des fleurs sur la nappe et on mange du poussin. On va au jardin, à la ferme, aux étables, à Gustave, à toutes les bêtes. Flaubert fouille la bibliothèque et ne trouve rien qu'il ne connaisse. René et le docteur viennent dîner ; après, on danse. Flaubert met une jupe et essaie le fandango. Il est bien drôle, mais il étouffe au bout de cinq minutes. Il est bien plus vieux que moi ! Pourtant, je le trouve moins gros et moins fatigué d'aspect. Toujours trop vivant par le cerveau au détriment du corps. Notre vacarme l'assourdit. Plauchut est comme fou. Maurice a été dans la brande avec Aurore. Ils ont découvert une mardelle, enfin ! Elle est ivre d'air et de plaisir. Ce soir, elle danse. Domino avec les jeunes gens. Vers minuit, Maurice épate Flaubert avec ses papillons.
Agenda de G. S. 1873.

On vit avec le caractère plus qu'avec l'intelligence et la grandeur. Je suis fatiguée, courbaturée, de mon cher Flaubert. Je l'aime pourtant beaucoup et il est excellent, mais trop exubérant de personnalité. Il vous brise.
Agenda de G. S., 1873.

Il n'y a que cinq jours depuis notre séparation et je m'ennuie de vous comme une bête. Je m'ennuie d'Aurore et de toute la maisonnée jusqu'à Fadet. Oui, c'est comme ça ; on est si bien chez vous ! Vous êtes si bons et si spirituels !... Vos deux amis, Tourgueneff et Cruchard, ont philosophé sur tout cela, de Nohant à Châteauroux, très agréablement portés dans votre voiture, au grand trot de deux bons chevaux.
Gustave Flaubert à G. S. 1873.

FLAUBERT ET TOURGUENIEV

Tourgueniev est venu trois fois à Nohant au cours des années 1872-1873.

Je serai bien contente de renouer connaissance avec Tourgueneff que j'ai un peu connu sans

Tourgueniev par Nadar. 1868.

l'avoir lu, et que j'ai lu depuis avec une admiration entière. Tu me parais l'aimer beaucoup, alors je l'aime aussi et je veux que quand ton roman sera fini, tu l'amènes chez nous.
G. S. à Flaubert. 1869.

On saute, on danse, on chante, on crie, on casse la tête à Flaubert, qui veut toujours tout empêcher pour parler littérature ! Il est débordé. Tourgueneff aime le bruit et la gaieté. Il est aussi enfant que nous. Il danse, il valse ; quel bon et brave homme de génie ! Maurice nous lit la *Ballade à la Nuit,* on ne peut mieux. Il a grand succès. Il épate Flaubert à propos de tout... Causerie de Flaubert, bien animée et drôle. Mais il n'y en a que pour lui, et Tourgueneff, qui est bien plus intéressant, a peine à placer un mot. Le soir, c'est un assaut, jusqu'à une heure. Enfin on se dit adieu. Ils partent demain matin... : Ce soir, on fait du bruit, on joue au domino, on est bête avec délices. On regrette Tourgueneff qu'on connaît moins, qu'on aime moins, mais qui a la grâce de la simplicité vraie et le charme de la bonhomie...
Agenda de G. S. 1873.

ALEXANDRE DUMAS FILS

Premier séjour à Nohant en 1861.
Je vous remercie préalablement, comme dirait M. Prudhomme, de votre honorée du 15, et je mets la main à la plume pour vous en exprimer toute ma vive gratitude. J'ai appris que mon hôtesse vous avait écrit... Je ne vous cacherai pas qu'elle se fait une fête d'être reçue à Nohant et de vous contempler en face... Reste la question de sa fille, qu'elle ne veut pas laisser seule dans les quarante-quatre chambres de la grande baraque et qu'elle vous a demandé la permission de vous présenter. On la couche dans la chambre de sa maman, sur un canapé. Elle adore ça, en sa qualité de jeune Moscovite voyageuse. Donc pas d'embarras à craindre de

Alexandre Dumas Fils par Nadar. *Je vous ai peut-être révélé à vous-même et c'est une des bonnes choses que j'ai faites dans ma vie.*
G. S. à Dumas Fils. 1853.

ce côté. Mais tremblez !... Voici le chicotin : il y a un ami à moi, un gros ami qui ressemble assez à vos chiens de Terre-Neuve, qu'on nomme Marchal, qui pèse 182 livres, et qui a de l'esprit comme quatre. Celui-là couchera n'importe où, dans un poulailler, sous un arbre, sous la fontaine. Peut-on l'amener ?... J'aurais toujours peur d'introduire qui que ce soit dans cette maison de Nohant, où tout fonctionne si bien entre amis que le moindre grain de sable pourrait arrêter toute la mécanique.
Alexandre Dumas fils à G. S. 1861 et 1862.

ÉDITH WHARTON

A probablement visité Nohant au début du siècle alors qu'Aurore Sand l'habitait.
Nous avions atteint le seuil nord du pays de George Sand. C'était là que, durant des années, les chefs de file de la profession la plus

sédentaire d'une race sédentaire — les *hommes de lettres* de France — descendaient de l'express de Paris et prenaient la diligence pour accomplir leur pèlerinage auprès de l'oracle. Si l'on considère la fatigue entraînée par une longue journée de chemin de fer et la répugnance bien française pour tout déplacement, le flot continuel de sommités déversés par Paris sur Nohant donne la mesure de ce que Nohant pouvait offrir en retour...
La première surprise tient à la découverte d'un cadre beaucoup plus, — comment dire ? — bienséant et convenable, beaucoup plus respectueux des contraintes de l'ordre social que ceux qui l'occupèrent lors des premières années. Les tableaux de Nohant dans « l'Histoire de ma vie » ne ressemblent à aucune autre description des mœurs provinciales françaises à cette époque et présentent plus d'affinités avec la ténébreuse atmosphère des sœurs Brontë qu'avec l'existence monotone et ligotée de conventions des hobereaux français.
Absurdement, l'on s'attend un peu à découvrir sur la maison, fût-ce à l'extérieur même, quelque trace de cette sombre période tumultueuse ou, à défaut, de l'existence folâtre mais également incohérente, inconcevable qui

La table du soir... a un rôle assez important que ferait-on sans elle... quand l'orage emplit le ciel... alors chacun apporte son travail ou son délassement... on se serre pour que tout tienne sur une grande table... elle est à la fois la classe et la récréation de la famille. L'héroïne et l'âme de la maison.
G. S. Autour de la table.

À gauche : châle de dentelle brodé pour George Sand par sa belle-fille et étui à cigares. *J'en ai t'y fait des marchands de tabac, mon Dieu — tous pignoufs et qu'ont pas le chic du tout et j'ai trouvé votre affaire — vous recevrez tout ça par le chemin de fer — s'il y a un peu de retard c'est que je fais mettre les chiffres sur la chose. Ne tremblez pas, ça sera par commis voyageur.*
Alexandre Dumas Fils à G. S. 1863.

Double page suivante : une allée du parc. *J'aime la campagne de passion...*
G. S. à Jules Janin. 1837.

Voilà, ce qu'il me faudrait : une voiture légère, mais forte c'est-à-dire pas trop lourde pour un seul cheval, extrêmement légère pour deux chevaux... L'emploi de cette voiture est d'aller chercher les provisions et paquets avec un seul cheval, et de servir à promener les chevaux et nous-mêmes... Nous ne tenons pas à ce que ce soit élégant et neuf, mais solide et commode.
G. S. à Docteur Pascal Muratori. 1856.

s'y déroulait lorsque la timide Mme Dudevant devenait la grande George Sand.
L'on imaginerait volontiers que le théâtre de ces incessantes allées et venues présente l'aspect « déclassé » et les stigmates d'une maison dont jamais les droits n'ont été respectés, — une maison depuis longtemps résignée à faire tinter en vain la cloche des repas et à voir battre ses portes sur des gonds descellés ; tout au contraire, ce sobre édifice offre une image de bien-être aristocratique, conscient à tous égards de sa place sur l'échelle sociale, de ses obligations envers l'église et les maisons placées sous son aile, de ses droits sur les terres environnantes. Ainsi peut-on, sans trop s'aventurer, reconnaître en elle l'illustration de ces graves idéaux auxquels George Sand avait peu à peu plié les expériences passionnées de sa vie ; l'on peut même aller jusqu'à s'imaginer qu'une vieille maison aussi marquée dans sa banalité même, dans son conformisme, a dû exercer sur un esprit aussi sensible que le sien une influence occulte mais persistante, lui apportant ce lest stabilisateur de l'attachement et de l'habitude, trop souvent absent dans la mentalité moderne, et se dressant devant elle comme l'autel de ces dieux lares auxquels, avec une incohérence égale à sa sincérité, elle consacra ses dernières années.

Traduit de l'anglais par Henri Robillot.
Texte inédit en français (voir page 240).

Plantes, pierres et papillons. Une passion partagée par la mère et le fils. *Nous allons donc écheniller sans toi les buissons fleuris de la Creuse...*
G. S. à Maurice Sand. 1858.

Façade arrière de Nohant reflétée dans le bassin auprès duquel George Sand fit planter deux cèdres à la naissance de ses enfants.

ARRIVÉE À NOHANT

À Châteauroux, on prenait la diligence. Après trois heures de trajet on arrivait à la nuit, au bruit des grelots. Elle s'arrêtait sur la route, devant le pavillon. C'est là que descendaient les hôtes attendus.
Les domestiques, avec une brouette et une lanterne, déchargeaient les bagages et « La Jeunesse » (c'était le nom du postillon) remontant sur le siège enlevait les chevaux qui repartaient, au trot, pour La Châtre.
On traversait, alors, le jardin touffu, précédé de la petite lanterne qui, comme un ver luisant, mystérieusement indiquait l'allée qu'il fallait suivre, tandis que la brouette venait derrière, tout à fait dans l'ombre. On approchait sans le savoir de la maison : la porte de la salle à manger s'ouvrait : George Sand était là.
La table est mise, éclairée par les bougies des grands candélabres : la forte et simple argenterie du Maréchal, aux écussons effacés pendant la Révolution, reluit sur la nappe blanche. Le chien Fadet flaire les hôtes et les accueille joyeusement : on s'embrasse, on se fête, on s'assied autour de la table. On questionne l'arrivant. La conversation passe du ton familier au langage le plus élevé, ma grand'mère écoute et parle peu.
Les chambres de la maison étaient presque toutes occupées par la famille. Au levant, sur le jardin potager, ma mère habitait l'ancienne chambre de Deschartres ; tout près, au midi, la chambre des enfants avec les lits des nourrices. En suivant cette façade sur le jardin, venait l'appartement de George Sand, composé de la bibliothèque, du cabinet de travail, de sa chambre et de ses dépendances. En face, deux chambres que mon père avait transformées en laboratoires entomologiques. Il restait cinq chambres d'amis, dont l'une, appelée « La Tour

du Nord », passait parmi les domestiques pour la chambre « où ça revenait ».
Mais qu'est-ce qui revenait et qui revenait ? Personne ne l'a jamais dit.
Aurore Sand. Souvenirs d'enfance sur Nohant.

LE DÎNER EST SERVI

Dans la salle à manger aux boiseries peintes en gris, on a dressé la table. La grande nappe

Chers amis, il m'arrive un tas de monde et ma vaisselle n'est pas arrivée ! Pouvez-vous me prêter pour ce soir et demain cinq à six douzaines d'assiettes *et dix rince-bouches. On vous reportera le tout demain soir.*
G. S. à Charles et Eugène Duvernet. 1857.

d'une blancheur somptueuse porte dans l'un de ses angles la discrète marque du Maréchal de Saxe, l'ancêtre de la famille, petite marque brodée au fil rouge, représentant deux épées croisées.
Le carrelage blanc et ardoise donne à la pièce une allure un peu froide, mais corrigée par les vives couleurs des faïences accrochées au mur, ou trônant sur des dessertes Louis XVI.
Le tic-tac du cartel souligne le silence à peine troublé par le bruit d'une porte qui s'ouvre, d'un placard qui se ferme, et au loin de quelques rires venant de l'office.
Là, devant la haute cheminée, la broche tourne et les femmes s'activant autour des vastes tables, vont désenfourner le pain brûlant que l'on fait tous les jours, en compagnie des tartes aux fruits du verger.
Au mur, sous le haut plafond aux poutres noircies, les cuivres reflètent les flammes ; sur la grande planche qui fait le tour de la pièce, les grandes marmites, les chaudrons, les bassines à confiture luisent d'un éclat de cuivre rouge, tandis que pendent par rang de taille les sauteuses, les casseroles et les bassinoires, en présentant leurs fonds astiqués comme des miroirs.
Au bout de cette batterie, les poêles longues et courtes plaquent un accord tout noir au milieu d'une symphonie de lumières.
À la salle à manger toute proche, les « filles », d'un air tranquille propre aux Berrichonnes, vont d'un pas égal et mesuré d'un placard à l'autre, vastes armoires pratiquées dans la boiserie, ainsi que le passe-plats qui correspond à la cuisine. Leurs coiffes carrées, leurs tailles plates et leurs fichus croisés constituent le costume régional, terminé par un rehaut de blanc pur : le tablier de service.
Les apprêts sont finis ; tout reluit, tout est clair. Les hôtes sont encore dans le jardin, il fait doux et les merles sifflent dans les buissons de lilas : on dînera à 6 heures, pour profiter de la lumière du jour. Un premier coup de cloche disperse les invités dans leurs chambres ; George est dans la sienne, elle se débarrasse de ses vêtements de promenade où s'agrippent encore les herbes folles des bords de l'Indre. Elle se hâte de revêtir une robe de soie toute simple, de lisser ses beaux cheveux longs et de

Le bureau de George Sand. *J'écris finalement et avec plaisir, c'est ma récréation, car la correspondance est énorme, et c'est là le travail...*
G. S. à Louis Ulbach. 1863.

verser un peu de parfum sur ses mains...
Au second coup de cloche, George Sand apparaît, l'air paisible et rassasié de campagne, et c'est en invoquant une grande faim qu'elle installe ses amis et sa famille autour de la table...

Aurore Sand. Souvenirs d'enfance sur Nohant et George Sand.

AU JARDIN

Le jardin qui avait été tracé et planté par Aurore de Saxe a gardé son style Louis XVI comme la maison. Mais George Sand l'a embelli par son amour des fleurs et de la verdure.
Elle a fait disposer sur la terrasse des orangers, des fuchsias, des citronnelles et des grenadiers. Elle a planté des rosiers, des clématites blanches, du jasmin, des corchorus et de la bïonne, le long de la maison, de sorte que la grande demeure est dans un nid parfumé.
Les cèdres, les deux hauts sapins qui dominaient tout, les grands tilleuls qui venaient toucher les fenêtres de ma grand'mère, les arbres de Sainte-Lucie et de Judée qui fleurissaient la cour d'entrée avec les lilas et sur la terre les iris, les tulipes, les pivoines, le lin bleu et les nigelles, les géraniums et les lauriers-roses, tout s'unissait pour égayer le fond de verdure du petit bois aux allées en méandre, aux carrefours où des bancs invitaient au repos.
Tous les jours elle faisait un tour de jardin et visitait ses plantes. Elle les aimait, les guidait, les relevait au passage. Elle savait la date de

Le jour de sa fête, — c'était le 5 juillet — le jardinier préparait de gros bouquets pour le soir, et à dîner on les posait devant elle. C'était comme la redevance de son jardin où elle ne cueillait jamais une fleur, si ce n'est pour en orner les cheveux de ma mère.
Aurore Sand - Souvenirs de Nohant.

leur flore *(sic)*, les endroits propices à leur beauté, la manière de les soigner : le jardinier était un personnage important et recevait directement ses ordres.
George Sand préférait certaines plantes humbles qui lui parlaient des forêts ou lui plaisaient par leur beauté simple. La stellaire holostée était une d'elles. Elle aimait à voir cette étoile blanche s'ouvrir en signe de beau temps et se fermer avant la pluie ; elle aimait l'anémone sylvie qu'elle avait importée des bois alentour ; elle allait voir tous les jours, dès qu'elle sortait de terre jusqu'à sa floraison, une touffe d'hépatite pour sa couleur pervenche-bleue et sa jolie forme. Le muscari qu'elle avait rapporté du Midi et dont elle prisait l'odeur exquise et pénétrante poussait maintenant dans le gazon à côté de la stellaire holostée et de belles tulipes qui croissaient sous les lilas de Perse. Il fallait aussi conserver ou replanter les roses de Noël et une autre plante qu'elle soignait particulièrement et qu'elle appelait le Nard. Cette plante donne une fleur légère d'un blanc rosé au parfum très fin et particulier, un parfum aristocratique, évocateur d'un autre temps, qui peut-être rappelait à George Sand les goûts raffinés de sa grand'mère.
Le « rosarium » était une partie du jardin très bien exposée au soleil où quatre massifs de rosiers entouraient des parterres de fleurs d'été. Cet endroit était le régal des yeux et aussi celui des papillons attirés par l'odeur de miel de ces fleurs au soleil.
Des pivoines rouges, des alteas et des rosiers, des verges d'or, des pavots et des anémones du Japon ornaient alternativement la grande allée qui traverse le jardin potager.
Sur la terrasse, parmi les fuchsias, plantes

J'ai passé deux heures chez Vilmorin et je vous ai acheté des graines de plantes. Dans le nombre c'est bien le diable si nous n'avons pas de quoi renouveler le jardin et la serre.
G. S. à Maurice Sand. 1868.

favorites d'ornementation de ma grand'mère, était une espèce à petites fleurs rondes d'un très beau rouge ; cette plante lui avait été donnée par Eugène Delacroix. Une citronnelle dont elle aimait le parfum vivifiant, verdit et fleurit encore. La mélisse qu'elle a fait planter pousse tous les ans aux mêmes endroits et la clématite blanche monte toujours jusque sous ses fenêtres pour y exhaler sa senteur d'amande amère. Tout est resté tel qu'elle l'a vu, où à peu près, dans son jardin, si ce n'est un rang d'ormes, à l'est, et quelques grands et beaux tilleuls qui touchaient la maison. Mon père, après la mort de cette mère adorée, eut un chagrin si profond qu'il voulut partir, fuir le nid vide. Puis il se ravisa et mû par le besoin de transformer ce qu'il ne trouvait plus bien, puisqu'elle n'était plus là pour en jouir, il élagua et coupa. Les ormes tombèrent. Le gros tilleul lui-même avec un bruissement de feuilles et un craquement de géant s'écrasa sur la terre. Mon père semblait obéir au désir de sacrifier ce qu'il y avait de plus beau dans ces frondaisons qu'elle avait tissées autour de la maison pour cacher mystérieusement sa calme retraite. Il y avait quelque chose d'antique et de grandiose dans cette destruction.

Aurore Sand. Souvenirs de Nohant.

À droite : à Nohant, Delacroix a peint son premier tableau de fleurs. *Il n'y a pas une fleurette, un détail qui ne me rappelle tout ce que nous disions pendant que vous étiez à votre chevalet. J'ai fait multiplier dans mon jardin le* mérite modeste, *la mauve jaune pâle à cœur violet et à étamines d'or.*
G. S. à Delacroix. 1843.

Ci-dessous : la chambre de George Sand à Gargilesse. *Ma vie, d'ailleurs, tourne au Gargilesse avec un attrait invincible. Cette vie de village, pêle-mêle avec la véritable rusticité me paraît beaucoup plus normale que la vie de château qui est bien compliquée pour moi. N'avoir à s'occuper de rien au monde en fait de choses matérielles, m'a toujours paru un idéal et je trouve cet idéal dans ma chambrette où il y a tout juste la place de dormir, de se laver et d'écrire.*
G. S. à Solange. 1858.

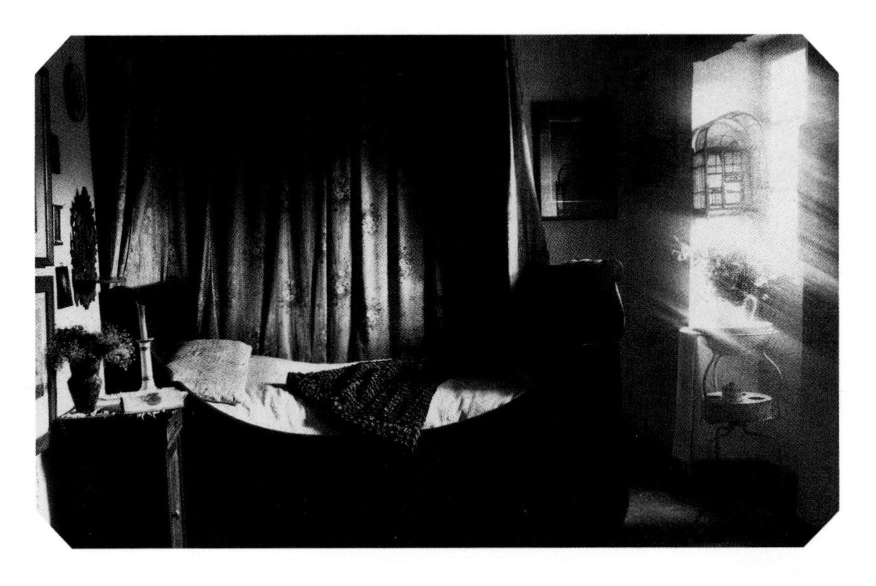

11. Lundi. — S. Daniel. 345—20

1866. 66

1er mai.

Payé à Jacques pour journée du 23 mars au 29 avril

58f. 50.

Il est convenu entre Jacques Robot et moi Sand qu'il touchera 50 f. par mois pour garder la maison la nuit, pour l'entretenir en bon état de propreté et de salubrité, veiller aux

12. Mardi. — S. Valéri. 346—19

réparations urgentes et appeler les ouvriers au besoin — Entretenir le jardin et le potager en bon état.

Domestiques

RECHERCHES DES DOMESTIQUES

Nous arrivons seuls avec Mme Caillaud. Je pense que Sylvie est encore sur pied et pourra nous faire manger pendant quelques jours, en attendant l'arrivée de la cuisinière que Arrault me cherche. Il ne m'a pas encore trouvé de domestique, mais il s'en occupe toujours. Je pourrai voir celui dont vous me parlez, mais je crains les gens de la Châtre. Ils sont trop près de leurs accointances pour qu'on puisse espérer les en détacher absolument. Prenez toujours toutes les informations possibles sur lui. Est-ce le domestique d'écurie, ou un garçon faisant le service à l'intérieur ? Sachez tout cela, sachez aussi si ne vivant pas avec sa femme, il n'est pas coiffé de quelque autre, ce qui reviendrait au même.

G. S. à Emile Aucante. 1856.

Je suis dans tous les embarras de ménage. La Tournite ne se guérit pas, la mère Marie est trop vieille, on ne trouve personne dans le pays, et je crains les domestiques de Paris. J'ai écrit à Chenonceaux pour savoir si on *n'en faisait pas au château.* Pour le moment, nous allons à la diable et je vois le moment où je confierai la queue de la poêle à mes jeunes gens. Seulement ils ne peuvent pas me promettre de ne pas me donner des vessies de couleur en friture et cela ne me sourit pas.

G. S. à Solange Clesinger. 1851.

Notes de George Sand à propos de l'engagement de Jacques Roubot comme gardien.

J'ai pris pour domestique mon élève, le clairon des pompiers. C'est un vrai Jocrisse, mais si bon garçon et si zélé que nous le garderons. Je lui ai appris la musique l'année dernière, je vais lui apprendre à lire.

G. S. à Edmond Plauchut. 1869.

DES DOMESTIQUES NOMBREUX

Entre domestiques de ferme et gens de maison, la distinction n'est pas nette, du fait que les artistocrates et les bourgeois qui ont des attaches à la terre, c'est-à-dire presque tous recrutent souvent leurs serviteurs personnels dans les familles de leurs métayers et fermiers. C'est en général le cas à Nohant et ces domestiques suivent à Paris leur maîtresse. À défaut, le recrutement doit au moins être local. George Sand cherche toujours sur place et ce n'est que lorsqu'il est impossible de faire autrement qu'elle se résigne à engager une cuisinière ailleurs, en 1851 par exemple ; pour les bonnes, elle n'a jamais de mal à en trouver. Mais elle ne veut pas des « péronnelles » de La Châtre et, George Sand préfère, elle, engager les gens à l'essai pour un mois, en les payant plus cher pour cette période probatoire. De toute manière, elle paie un peu plus que les châtelains des environs, mais pas au tarif de Paris, car les domestiques qu'elle emmène dans la capitale y servent, dit-elle, aux mêmes conditions qu'à Nohant, logés, nourris et blanchis. N'était-ce pas le cas à Paris ? En

outre, chez elle, les domestiques mangent comme les maîtres, à quelques exceptions près, quand un invité apporte une denrée rare par exemple.
En compensation, que de preuves de fidélité et d'attachement de part et d'autre ! Sylvain Brunet, cocher et régisseur, reste à Nohant plus de 30 ans ; Jean Brunet, valet de chambre plus de 25 ; Justine Fourastier, la cuisinière, plus de 20. Catherine Labrosse, bonne d'Aurore enfant, mariée à une grande demi-lieue (c'est très loin) continuera toute sa vie à lui apporter des fruits de son cormier, arbre rare en Berry et George en revanche l'aidera dans sa vieillesse, plusieurs dizaines d'années après qu'elle aura quitté son service.
Le risque est, bien sûr, qu'en cas d'absence, cas fréquent à Nohant et ailleurs, les domestiques en prennent à leur aise et jouent aux maîtres. Cela, George Sand ne peut l'admettre et sévit avec un sens de l'autorité complémentaire de son estime pour les bons domestiques. Par deux fois au moins, c'est la terreur à Nohant. En 1840, Angélique Appé, intendante peu docile, est renvoyée : elle a fait rentrer du vin sans ordres ; Pierre le jardinier qui vend ses légumes du jardin chaque samedi est invité à tenir un compte et subira des retenues sur ses gages. En 1846, Françoise, la bonne « qui m'a reçue, dit George Sand, quand je suis arrivée comme si je m'emparais malgré elle de sa maison », est renvoyée, en même temps que le jardinier ; une nouvelle cuisinière ne fait pas 8 jours. Chopin en est effaré.
Aux domestiques attachés à la maison et qui sont nombreux, près d'une dizaine à Nohant : cocher, palefrenier, jardinier, aide-maître d'hôtel, valet, cuisinière, femme de basse-cour, femme de chambre et lingère, s'ajoutent en effet, pour des travaux occasionnels mais non exceptionnels, des gens du village qu'il est facile de faire venir pour quelques journées. Cinq à six femmes viennent à Nohant épépiner les groseilles lors de la préparation des confitures, qui constitue un grand événement annuel et la spécialité de la maison. Il y a, en outre, des couturières à la journée, appartenant au milieu des artisans et quelques ouvriers « à longue année », c'est-à-dire tout le temps, comme le menuisier Bonnin.

Extrait de La Vie quotidienne en Berry au temps de George Sand (Hachette).

Elle portait la coiffe du Berry et la robe froncée comme les autres servantes de la maison ce qui fit dire à l'un des hôtes de Nohant que la maison ressemblait à un couvent plein de nonnes...
Aurore Sand. Souvenirs de Nohant.

LES DOMESTIQUES DES HÔTES

J'ai encore une demande à vous faire : c'est, au cas que Madame S[ain]t-Agnan veuille emmener une femme de chambre, de l'en dissuader comme si cela venait de vous en lui disant qu'elle n'en aura pas besoin ici, puisque

j'en ai une qui n'a rien à faire et qui sera à son service. Je ne voudrais pas qu'elle s'aperçût de ma répugnance à cet égard, parce qu'elle croirait peut-être que j'y mets de la mauvaise grâce. Elle se tromperait car je serai enchantée de la recevoir, elle et sa famille. Vous savez aussi que ce n'est pas la crainte de nourrir une personne de plus qui me fait apporter cette objection, puisqu'il s'en nourrit dans ma maison plus que je ne le sais souvent moi-même. Je crains ici les domestiques étrangers parce que mes Berrichons sont de simples et bons paysans ignorant toutes les rubriques de ceux de Paris. L'année dernière, la femme de ch[ambre] de Madame Angèle avait mis la maison en révolution par ses plaintes, ses propos. Les uns me demandaient leur compte pour aller à Paris où elle se faisait fort de les placer ; les autres voulaient doubler leurs gages, etc., etc.

G. S. à Louis-Nicolas Caron. 1828.

Valets et femmes de chambre, marionnettes du théâtre dont George Sand créait et cousait les costumes.
Les domestiques avaient une certaine crainte des marionnettes. Une femme de service demanda qu'on la changeât de chambre, la sienne était au-dessus du théâtre, parce que "quand Monsieur Maurice est couché, les marionnettes se relèvent et continuent à faire du vacarme toute la nuit".
Aurore Sand. Souvenirs de Nohant.

Enfin ! je ne voudrais pas avoir ton domestique dans la maison. Outre l'absence de logement qui me forcerait à le mettre dans une chambre à deux, je sais trop maintenant qu'il est impossible d'implanter dans la maison un personnage étranger au pays. L'été dernier s'est passé en querelles et en batailles stupides, à cause de deux cuisiniers consécutifs que j'avais pris à Paris, et qui n'avaient peut-être pas toujours tort, mais qu'il m'a fallu congédier, sous peine d'être forcée de congédier tout le monde. Les orages domestiques, ces

18 brumaire de cuisine sont si ennuyeux, si répugnants que tu ne voudrais pas me les attirer. La maison est paisible enfin, ce n'est pas l'idéal de l'ordre et du confortable tant s'en faut, mais enfin elle va comme elle peut sans que j'aie à m'en occuper beaucoup, et tu sais si je peux m'en occuper.
G. S. à Solande Clesinger. 1851.

En ce moment, c'est la guerre à la cuisine entre Suzanne et Jean, le domestique de Chopin. La cuisinière est montée à l'étage se plaindre au musicien des injures que lui adresse à la moindre occasion le Polonais qui ne connaît guère du français que les grossièretés. Jean se plaint beaucoup du désordre des enfants et eux se moquent continuellement de sa façon d'écorcher les mots. Pour manifester sa mauvaise humeur, il a pris l'habitude d'agiter la sonnette du dîner un quart d'heure durant. La maîtresse de maison, excédée de ses façons lui promet de l'asperger d'eau froide s'il persévère et s'emploie à calmer sa servante.
Bien qu'il se dise très attaché à son maître, le domestique prévient tous les jours Chopin qu'il s'en ira si Suzanne demeure. Les serviteurs de la maison ne comprennent pas que Chopin, toujours grand seigneur, donne des gages sans commune mesure avec les leurs à son valet et tous le tiennent à l'écart. Frédéric n'aime ni les changements, ni les nouvelles figures, il est satisfait du travail de Jean et surtout heureux de parler avec lui sa langue maternelle. Mais il sent bien qu'il lui faudra le renvoyer s'il veut avoir la paix. Cette idée le bouleverse.
Chopin chez George Sand à Nohant,
par Sylvie Delaigue-Moins.

NOUNOU

Fille de paysans berrichons d'un hameau de la « Vallée noire », Solange Marié entra chez nous comme nourrice, et y vécut soixante-dix ans, inlassable en dévouement, en labeur et en fidélité.

Nounou. *La nourrice est douce... et comme elle a la voix agréable et la figure idem, ce qu'elle dit est très joli à entendre.*
G. S. à Anne Devoisin. 1866.

D'une propreté scrupuleuse, d'un service régulier, d'une honnêteté à toute épreuve, Solange Marié, après avoir bien nourri, pendant deux ans, la petite-fille de George Sand, la « garda », la promena et à mesure que je grandissais, elle se mit aux différents services de la maison. Elle faisait tout avec conscience et amour : elle avait le génie de bien faire.
Elle passa de la table au ménage, et enfin prit le service particulier de George Sand. « De cette façon, disait ma grand-mère, puisqu'Aurore aime sa Nounou et que sa Nounou l'aime, Aurore étant presque toujours auprès de moi, elles ne seront pas séparées. » (Sans doute George Sand eût-elle pu prendre une fille plus avisée pour coudre, plus experte au repassage...

mais son affection pour moi, son besoin de faire plaisir la portait à oublier son bien-être personnel.) « Solange, disait-elle de ma Nounou, est fidèle, dévouée, rude, propre et droite, et puis c'est la Nounou d'Aurore ! » Lorsque George Sand tomba mortellement malade, Solange Marié ne la quitta plus. Elle la veilla et ne prit pas de repos pendant les huit jours que dura cette agonie. Ce fut seulement le jour de l'enterrement de George Sand qu'elle se coucha.

Aurore Sand. Extrait d'un texte intitulé : « La dernière femme de chambre de George Sand ».

NI MAÎTRE NI VALETS

Selon moi, dans une famille bien entendue et bien réglée, il n'y a ni *maîtres* ni *valets,* et je voudrais qu'on effaçât de la langue ces vilains mots qui n'ont plus de sens que dans le préjugé. On n'est pas le *maître* d'un homme libre qui peut vous quitter dès qu'il est mécontent de vous. On n'est *laquais* que parce que l'on veut l'être, c'est-à-dire parce qu'on a les vices de l'emploi. Le véritable mot qui convient est le mot très français de domestique, et on doit l'entendre dans son acception littérale, *fonctionnaire dans la maison (domus).* En effet, un domestique est un fonctionnaire, et pas autre chose. Vous lui donnez un emploi chez vous selon ses aptitudes, et en vertu d'un traité qui n'engage ni lui ni vous, pour un temps déterminé. Si l'on se convient et que le marché ne soit onéreux ni pour l'un ni pour l'autre, il y a peu de raisons pour se tromper ou se haïr ; il y en a même beaucoup pour rester ensemble, si l'on est honnête et raisonnable de part et d'autre ; mais il n'y en a aucune pour se condamner à vivre sous le même toit, si les caractères sont inconciliables.

Je n'aime pas qu'on fasse trop le *bon maître* avec les domestiques, sous prétexte qu'ils sont malheureux et humiliés de leur position. S'ils

Henri Courtillet, domestique à Nohant, neveu de Sylvain Brunet.

Marguerite, femme de chambre de la maison.

sont humiliés de *servir,* c'est la faute d'un manque de dignité de leur part, car je ne vois pas pourquoi il faut qu'ils *servent.* Se charger du soin d'un ménage, de la salubrité et de la propreté d'une maison, de la confection des aliments communs, de l'entretien d'un jardin ou d'une écurie, c'est travailler, fonctionner, ce n'est pas servir.
Nous sommes destinés à avoir, dans un avenir

Au-dessus de la porte de la cuisine, les sonnettes qui correspondaient aux chambres des invités.

peut-être assez prochain, non plus des laquais, non plus même des serviteurs, mais des fonctionnaires, sortes d'associés à notre vie domestique.
Il nous faut établir avec les domestiques des relations nouvelles et qui soient tout le contraire de celles du passé. Ainsi deux écueils à éviter avec un soin égal, la hauteur qui blesse, et la familiarité qui avilit.
Je déteste qu'un domestique me parle à la troisième personne, et qu'il me dise *Madame est servie,* quand il peut tout aussi bien m'avertir que c'est le dîner qui est servi sur la table. Nos Berrichons ne connaissent point ce jargon des laquais du beau monde. Pour y arriver, je trouve qu'il faut être d'une politesse scrupuleuse avec les domestiques, ne jamais leur dire : *Faites ceci,* mais *Voulez-vous faire ceci ;* ne jamais manquer de les remercier quand ils vous rendent d'eux-mêmes un petit service, ne fût-ce que de vous présenter un objet ; ne jamais les appeler sans nécessité pour leur faire faire ce qu'on peut faire soi-même, pour ouvrir ou fermer une fenêtre, mettre une bûche au feu, etc. ; ces niaiseries m'ont toujours paru révoltantes, de même que de se faire coiffer et habiller par des femmes de chambre.
G. S. Histoire de ma vie.

J'ai su que vous passiez, pendant mon absence, toutes vos soirées à la cuisine, et je vous désapprouve beaucoup. Vous savez si je suis orgueilleuse et si je traite mes gens avec hauteur. Élevée avec eux, habituée pendant 15 ans à les regarder comme des camarades, à les tutoyer, à jouer avec eux comme fait aujourd'hui Maurice avec Thomas, je me laisse encore souvent gronder et gouverner par eux. Vous savez encore que je m'assieds quelquefois au fond de ma cuisine en regardant rôtir le poulet du dîner et en donnant audience à mes coquins et à mes mendiants. Mais je n'irais pas passer un quart d'heure avec eux lorsqu'ils sont rassemblés, pour y passer le temps et écouter leur conversation. Elle m'ennuierait et me dégoûterait parce que leur éducation est différente de la mienne et que je les gênerais en même temps que je m'y trouverais déplacée.
G. S. à Jules Boucoiran. 1830.

L'escalier de la lingerie qui servait aussi de vestiaire pour le théâtre (dont un costume attend d'être monté).

FLAUBERT A MAURICE SAND, 24 JUIN 1876

... Et quant vous aurez été la rejoindre,
quand les arrière-petits-enfants des petits-enfants de vos deux fillettes
auront été la rejoindre eux-mêmes, et qu'il ne sera plus
question depuis longtemps des choses et des gens qui nous entourent,
— dans plusieurs siècles —
les cœurs pareils aux nôtres palpiteront par le sien !
On lira ses livres, c'est-à-dire qu'on songera d'après ses idées et qu'on aimera de son amour.

LES
CAHIERS
DE
RECETTES
DE
NOHANT

SUR LES CAHIERS

Les « Cahiers » de cuisine de Nohant qui nous ont été remis par Christiane Sand comptaient six cent soixante-treize recettes présentées de façon diverse :
- un cahier de Lina Sand comprenait 117 recettes toutes autographes dont 67 portaient mention d'une source ;
- un cahier d'Aurore Sand comprenait 131 recettes, toutes autographes dont 68 portaient mention d'une source (mais mère et fille ont des sources si souvent identiques que l'on trouve de nombreux doubles) ;
- un second cahier d'Aurore Sand, sans doute plus tardif, reprenait presque mot pour mot les recettes des deux cahiers précédents.

Enfin, un classeur riche de 858 recettes était composé de feuilles volantes, de liasses ou de petits carnets privés de leur couverture, les plus anciens feuillets sont de la main d'Aurore de Saxe, grand-mère de George Sand. Enfin, une seule recette de la main de George Sand, les gnocchis, sur un feuillet volant.

Nous avons éliminé les versions trop incomplètes, les recettes en italien de Lina, choisi parmi les variantes pour ne retenir que 245 recettes qui, par leur intérêt culinaire et leur texte assez complet, sont susceptibles d'être exécutées par le lecteur d'aujourd'hui.

A la fin de chaque recette, le nom de son auteur ou de la personne qui l'a écrite est précisé. Un petit nombre de recettes n'est pas signé, car l'écriture n'a pu en être identifiée.

Nous avons respecté la présentation des textes au maximum (sauf pour les paragraphes écrits en marge). Les notes qui figurent en tête des recettes en caractère différent (exemple : *exquise,* ou *forte en goût,* pages 83 et 85), sont des notes ajoutées en général après que la recette ait été écrite ; Aurore annotant les recettes de Lina par exemple.

Nous devons à Elisabeth Santa-Croce le dépouillement des différents manuscrits et leur mise en ordre en vue de la présente édition. Nous la remercions pour sa patiente collaboration.

Double page précédente : la table de la salle à manger de Nohant.

Ci-dessous : recette manuscrite d'Aurore de Saxe.

NOTE DE L'ÉDITEUR

En 1839, George Sand décrit à des amis parisiens qu'elle invite le voyage qu'ils devront accomplir pour la rejoindre à Nohant : un coupé des messageries royales part à 7 heures du soir de la rue Notre-Dame-des-Victoires ; après avoir déjeuné à Orléans à 6 heures du matin, on dîne à Vierzon à 3 ou 4 heures de l'après-midi, on repart une heure plus tard pour atteindre Châteauroux à 9 heures. De Châteauroux à Nohant, la patache parcourt la distance en quatre heures, et le cabriolet que George Sand met à la disposition de ses amis en trois heures. Trente heures de route !

Quinze ans plus tard, le chemin de fer permettait d'atteindre Châteauroux en huit heures. Les amis de George Sand conviés à la création d'une pièce du petit théâtre du château pouvaient ainsi faire l'aller-retour en vingt-quatre heures.

Aujourd'hui, Nohant est presque aux portes de Paris : il faut deux heures de train pour se rendre à Châteauroux, et de là une demi-heure de voiture suffit pour atteindre la maison de George Sand. L'élaboration de cet ouvrage nous a souvent donné l'occasion et le plaisir de faire ce petit voyage. Un jour, nous nous sommes un peu écartés de la route pour rendre visite, à Romorantin, à Marie-Christine Clément dont nous connaissions la curiosité et la passion des manuscrits de cuisine anciens, qu'elle étudie depuis plusieurs années, et pour découvrir la cuisine de son mari Didier. Tous deux, en effet, accueillent les visiteurs dans leur Hôtel du Lion d'Or, vanté par les meilleurs guides. Pendant le dîner, évoquant le but de notre voyage, nous avons parlé de ces cahiers de cuisine de Nohant.

Marie-Christine et Didier Clément ont montré tant d'impatience à les découvrir que nous leur avons prêté le manuscrit pour la nuit. Le lendemain matin, au petit déjeuner, leurs commentaires sur les recettes nous ont semblé si intéressants qu'une idée nous est venue : pourquoi ne nous aideraient-ils pas à présenter ces recettes, à les enrichir de leurs avis de cuisinier et d'historienne de la cuisine ? Ils ont accepté d'enthousiasme. Pour une présentation plus claire, leurs commentaires ne sont pas signés mais se distinguent des citations et des légendes par des caractères romains.

Nous avons demandé à Didier Clément de choisir, parmi les recettes qui l'inspiraient le plus, celles que nous allions photographier à Nohant. Il a donc réalisé terrines, aspics, gâteaux, etc., que vous découvrirez ici sur les tables de Nohant. Quelques tartes (pages 136-137 et 210-211) ont été préparées plus près de Nohant à Saint-Chartier par Gérard Gasquet, talentueux chef de l'hôtel de la Vallée bleue où descendent les sandistes du monde entier.

LA CUISINE DE NOHANT

par Marie-Christine et Didier Clément

Ce livre de recettes de Nohant, belle invitation au rêve gourmand, est aussi un véritable document sur l'histoire du goût : il recèle de précieuses indications sur la réalité des consommations alimentaires en maison bourgeoise provinciale au XIXe siècle.
Comment définir la cuisine de Nohant ? Elle se révèle une cuisine plus « ménagère » qu'à proprement parler « bourgeoise ». Fondée sur la tradition culinaire française, elle intègre à celle-ci des recettes de différents terroirs régionaux et de différents pays, fait caractéristique de la cuisine de ce siècle. Mais la singulière personnalité de la maîtresse des lieux y imprime également sa marque, notamment par la présence de quelques recettes, encore rares pour l'époque, dûes à ses propres voyages et à ses nombreuses relations internationales.
Nous pouvons ainsi distinguer plusieurs influences. Quelques grands classiques de la haute cuisine de l'Ancien Régime, le plus souvent réalisés dans les règles de l'art (voir la liaison au lait d'amandes du « Potage à la Reine ») et réservés aux grandes occasions et aux jours de fête, comme le « Potage à la Reine », la « Carpe à la Chambord », le « Lièvre à la Royale » et l'« Aspic de Volaille ». Mais ces recettes d'apparat demeurent exceptionnelles : la cuisine pratiquée à Nohant est surtout une cuisine simple, quotidienne, cherchant moins l'ostentation que la satiété, et qui s'inspire aussi bien d'une tradition médiévale (la « Fromentée », le « Haricot de Mouton », les « Rissoles », le « Casse-Museau ») que d'une tradition régionale (« Bouillabaisse », « Moules provençales », « Pissaladeira », « Aubergines frites » pour le Midi ; « Quiche lorraine », « Foie gras », « Carpe à l'Alsacienne », « Leber kloese » pour l'Est ; « Potage au potiron », « Galette aux pommes de terre », « Clafoutis » et « Châtaignes » pour la région Centre). Traditions auxquelles se supersposent les propres caractéristiques culinaires de l'époque : quelques recettes typiques comme les « Bouchées à la Reine », le « Poulet Chasseur » ou le « Beurre Montpellier », transmises par le célèbre restaurant Magny ; le goût pour les farces et hachis de toutes sortes, particulièrement actif dans les multiples façons d'accommoder les restes et dans la mode des puddings ; l'usage fréquent de nombreux féculents, aussi bien en

entrée, accompagnement ou dessert, comme les pâtes alimentaires, pommes de terre, riz, semoule ou tapioca ; l'utilisation révélatrice du gruyère, quasi omniprésent dans les entrées, potages et accompagnements, qui attache, lie et relie les aliments entre eux.
Ici, la cuisine de Nohant illustre bien une certaine tendance de la cuisine bourgeoise qui a horreur du vide, qui farcit, épaissit, colle et masque. Mais il faut souligner que c'est moins par conformité à un modèle social que par simple souci pratique de satisfaire l'appétit de nombreux convives à moindres frais. On connaît, en effet, les constantes difficultés financières de George Sand, et sa nature généreuse qui l'incitait pourtant à nourrir chaque jour, outre sa famille et ses amis, au moins une douzaine de personnes.
Les propres voyages de l'écrivain, ses amis ou ses proches influencèrent aussi cette sélection de recettes. Nous trouvons ainsi des recettes anglaises (« puddings », « cakes », « scones », et du « catsup »), des recettes italiennes (« Poulet à l'Italienne », « Lièvre à l'aigre-doux », « Ravioli », « Gnocchi », « Veau en thon », « Risotto » et « Café glacé »), des recettes espagnoles (« Soupe espagnole », « Albigondas de Carne » et « Natillas ») et des recettes russes (« Bortsch », « Charlotte russe » et des produits plus rares comme le caviar ou les langues de rennes de Laponie).
George Sand sacrifia également à la mode de son temps pour l'orientalisme : « kouskous », « Sarmali » (recette absolument inédite, inconnue de tous les traités culinaires de l'époque qui pourtant s'ouvraient à de nombreuses cuisines exotiques), « Beurreck », « Mouton à la Turque » et « Poisson à la Persane » figurent dans son cahier.

Ce recueil de recettes de Nohant n'est pas un traité culinaire. Il ne résulte pas d'une volonté démonstrative exhaustive mais, au contraire, s'est constitué et enrichi au hasard des rencontres. Aussi, un certain manque de rigueur dans les appellations, quelques maladresses d'exécution ou de narration, des proportions approximatives « à la poignée » ou « au verre », une certaine tendance à la simplification, par paresse ou facilité, pourraient passer pour d'incontestables défauts dans un traité habituel ; mais ici, ce ne sont qu'autant de charmes qui agrémentent la découverte d'un récit gourmand.
Cet indiscutable document sur les mœurs alimentaires de Nohant au XIXe siècle est donc un témoignage émouvant, composé de souvenirs, de rencontres, de voyages. Et puisqu'une émotion est à la base de chaque recette, cette cuisine ne peut être qu'à l'image de son instigatrice : simple et généreuse, à la fois originale et coutumière, pleine de contradictions et de charmes, mais toujours indéniablement authentique.

SUR LES COMMENTAIRES

Nous n'avons pas voulu transposer dans notre goût contemporain ces recettes de Nohant. Nous avons préféré les respecter en tant que documents et mettre autant que possible en relief leurs différents points d'intérêt, qu'ils soient techniques, géographiques ou historiques. Si parfois nous avons émis un regard critique, ce n'est que pour mieux avertir le lecteur, dans un souci objectif d'information, de la réelle valeur gastronomique de la recette.

Recette du Selleri
Je Coupe mon selleri par petit morc
Je le fait revenir dans le beure
quand il a pris une belle Couleur
jaune. Je soupoudre un peu de farine
et je mouille avec un peu de bouillon
et un peu d'eau, si la sauce est
trop blanche je met un peu de
Caramel; et à la fin de la Cuisson
Je met un peu de sucre pour
oter ce gout fort

RECETTES

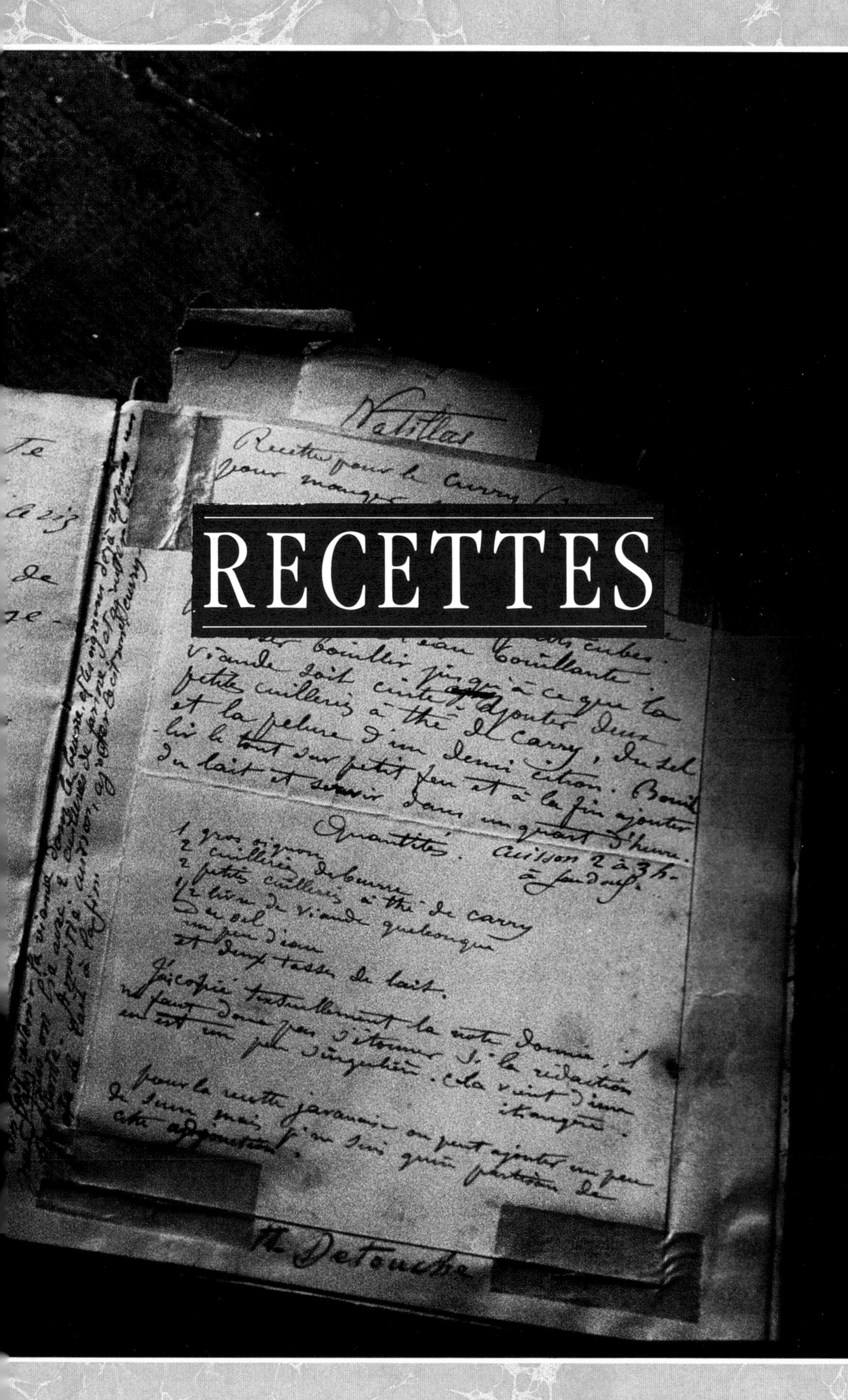
Natillas

Recette pour le Curry

Quantités. cuisson 2 à 3 h. à feu doux.

1 gros oignon
2 cuillerées de beurre
2 petites cuillerées à thé de carry
1/2 livre de viande quelconque
de sel
un peu d'eau
et deux tasses de lait.

J'ai copié textuellement la note donnée. il ne faut donc pas s'étonner si la rédaction en est un peu singulière. cela vient d'une étrangère.

M. Detouche

Double page précédente : le cahier de recettes d'Aurore Sand.

Sauces

Beurre de Montpellier

Beurre composé accompagnant les poissons froids tels que le saumon ou la truite, par exemple. Un grand classique de la cuisine bourgeoise du XIXe siècle. L'association câpres/anchois est une constante de l'assaisonnement des poissons depuis le XVIIe siècle. Les cuisiniers du XIXe siècle y ont ajouté les cornichons et la verdure.
Il n'est pas si surprenant de trouver ici la pimprenelle car, depuis toujours condiment apprécié, son usage dans la recette du *Beurre de Montpellier* est recommandé par certains cuisiniers dont J.-B. Reboul dans *La Cuisinière provençale* (1895). On peut également utiliser du vert d'épinard.

Jetez à l'eau bouillante cerfeuil, estragon, pimprenelle pour 60 grammes, une gousse d'ail, 2 ciboules. Laissez cuire à grand feu cinq minutes, égouttez et rafraîchissez, pressez dans un linge blanc pour extraire l'eau.

Pilez-le en purée, ajoutez deux anchois, 2 jaunes d'œufs durs, une cuillère de câpres, 2 cornichons, 2 jaunes d'œufs crus le tout en purée, ajoutez 1/4 de beurre fin, une pointe de cayenne et de muscade. Passez le tout à travers un tamis de soie avec le dos d'une cuillère.

Le tout passé, ajoutez-le dans une bonne mayonnaise et additionnez quelques cuillerées de gelée de viande. Quand il est à cet état vous pouvez vous en servir.

Recette de Magny
Manuscrit de Lina Sand

Sauce Maître d'Hôtel Liée

Une sauce blanche toute simple pour accompagner des poissons.
L'appellation « Maître d'Hôtel » est un peu grandiloquente par rapport à la réalité de la recette énoncée.

Mettez dans une casserole un verre d'eau, une cuillerée de farine et du beurre, persil et ciboule à volonté hachés, sel et gros poivre : faites chauffer le tout presque à ébullition en tournant toujours et ajoutez un peu de jus de citron ou non.

Cette sauce doit avoir l'aspect d'une sauce blanche ordinaire.

Recette d'Aurore Sand

Sauce Échalote à la Béarnaise

Mettez dans une petite casserole deux cuillerées à bouche d'échalote hachée et 4 cuillerées de bon vinaigre d'Orléans : la poser sur le feu et cuire les échalotes jusqu'à ce que le vinaigre soit réduit de moitié.

Retirez alors la casserole et quand l'appareil est à peu près refroidi, mêlez-y 14 jaunes d'œufs. Broyez-les à la cuillère et joignez-leur 4 cuillerées à bouche de bonne huile.

Posez la casserole alors sur un feu doux, liez la sauce en la tournant, retirez-la aussitôt qu'elle est à point et lui incorporez encore un demi-verre d'huile, mais en l'alternant avec le jus d'un citron.

Finir la sauce avec un peu d'estragon ou de persil haché et un peu de glace de viande.

Recette d'Aurore Sand

Quatre jaunes d'œufs suffiront. Demi-verre d'huile : il vaudrait mieux employer du beurre. À la place de tout cela, fouettez pour obtenir l'émulsion et ajoutez tout le beurre à la fin quand les jaunes ont pris une certaine épaisseur.

Sauce Hollandaise

« Exquise »

Pour 10 personnes.

Faites fondre un kilo de beurre extra fin au bain-marie, mettez dans une casserole 4 jaunes d'œufs très frais, une cuillère d'eau fraîche, travaillez sur le feu en introduisant petit à petit le beurre fondu. Si la sauce raffermissait de trop, vous ajouteriez quelques gouttes d'eau.

Lorsque les œufs ont bu tout le beurre, ajoutez un bon jus de citron et sel. Il faut avoir soin que la sauce ne bouille pas car elle tournerait, il faudrait alors la reprendre avec un jaune d'œuf, cela nuirait beaucoup à sa qualité.

On peut remplacer le citron par une infusion ou réduction de vinaigre et de mignonnette, il faudrait alors la passer à l'étamine après avoir mis, dans une casserole un demi-verre de vinaigre, une cuillère à café de mignonnette et fait réduire à glace.

Recette de Magny
Manuscrit de Lina Sand

Plus une mayonnaise tiède qu'une véritable sauce hollandaise.

Mayonnaise

Trois jaunes d'œufs auxquels on ajoute presque goutte à goutte et en tournant très vite de l'huile jusqu'à ce que ce soit très épais, puis du sel et du poivre et le jus d'un demi ou d'un citron, à volonté.

En hiver, il faut mettre l'huile dans un endroit chaud avant de s'en servir.

Recette d'Aurore Sand

Sauce pour le Homard

En fait, il s'agit de récupérer les œufs et tout l'intérieur de la tête du homard (intestins, corail) qui rougissent à la cuisson, pour composer une sorte de vinaigrette tiède et épaisse, très parfumée et facile d'exécution, qui sera l'accompagnement idéal d'un homard grillé ou rôti.

Détachez toute la partie intérieure du homard entre la queue et la tête, écrasez cette substance, joignez-y les œufs, s'il y en a, battez le tout, mêlez-y des fines herbes hachées bien menu, deux échalotes, hachées également, une ou deux cuillerées d'huile d'olive, un petit verre d'anisette, et un peu de jus de citron, ou bien, à défaut de citron, un filet de vinaigre.

Cahier d'Aurore Sand

Sauce Tomate Créole

Un coulis tout naturel de tomates cuites pour accompagner des poissons au four ou des plats de riz ou de pâtes.

Faites griller des tomates ou dans le four ou sur le fourneau, sur le gril (tout entières) puis lorsqu'elles sont cuites, on enlève la peau et on les écrase avec du jus de citron, du poivre, sel, persil, petit oignon haché très fin et on passe dans la saucière.

Recette de Rose Renault
Manuscrit de Lina Sand

Ci-dessus : le coffret d'argenterie que George Sand fait emballer et transporter à chaque déplacement entre Nohant et Paris.

Sauce pour Viande Froide

Principalement pour le bœuf

« Forte en goût »

Hachez persil, cerfeuil, ail, oignon, échalote de quantité à peu près égale. Hachez aussi mais en plus petite quantité thym, pimprenelle, fenouil, ciboule, estragon, puis 5 ou 6 câpres, un anchois, 1 ou 2 cornichons.

Mêlez le tout et hachez ensemble ; puis faites une autre part de hachis de viande, poulet ou perdrix, prenez la même quantité de ce hachis de viande que de celui d'herbes, environ le contenu du creux de la main, ou de 2 cuillères à bouche ; faites une sauce avec huile, vinaigre, poivre et sel, démêlez avec de la moutarde puis mettez le hachis. Mêlez bien.

Délayez 1 jaune d'œuf et tournez 5 ou 6 minutes pour que la sauce soit bien liée avec l'œuf. En vous servant, ayez soin de la remuer encore.

Recette d'Aurore Sand

… ou l'art d'accommoder les restes. Typique de la cuisine bourgeoise du XIXe siècle.

... nous voici à la veille de faire notre dîner nous-même, et je doute qu'il fût bon.
G. S. Correspondance.

Soupes et potages

Bouillon Maigre

«Très bon»

Le panais est une racine intermédiaire entre la carotte et le navet. Cultivé et apprécié depuis l'Antiquité, présent tout au long de notre histoire culinaire, ce légume, pourtant doté de nombreuses qualités tant nutritives que gustatives, a totalement disparu de notre table depuis le début de ce siècle.

Mettez dans une marmite, 10 carottes, 10 navets, 2 à 3 oignons coupés en rondelles, deux laitues, deux ou un pied de céleri, une poignée de cerfeuil, une moitié de chou et un panais émincé en filets, ajoutez à ces légumes un bon morceau de beurre (2 hectogrammes) et un demi-litre d'eau : faites bouillir jusqu'à ce qu'il n'y ait presque plus de liquide dans la marmite alors emplissez-la d'eau chaude et ajoutez un litre de pois (ou haricots, lentilles, orges, riz, etc.), deux clous de girofle, sel.

Faites bouillir 3 à 4 heures et passez au tamis.

Recette d'Aurore Sand

Bouillabaisse

«Très bon»

Une bonne recette.

Pour 5 personnes.

Prendre une casserole en terre et y faire revenir du beurre ou de l'huile fine. Quand votre huile est bouillante, vous y jetez trois oignons hachés, cinq tomates (toujours une par personne) coupées en dés, du thym, du laurier, du persil, quatre gousses d'ail (au moins), le tout bien haché.

Quand tout ce condiment est bien revenu avec une forte pincée de sel, de poivre, un tout petit morceau de piment rouge, deux clous de girofle et une pincée de safran :

Ajoutez l'eau (à peu près un demi-litre par personne). Il ne faut ajouter l'eau que lorsque vous voyez que les matières qui sont dans l'huile sont à peu près cuites. Quand l'eau boue on y jette le poisson coupé par morceaux ou entier selon l'espèce et la grosseur et il faut laisser bouillir à grand feu pendant 20 minutes environ.

Puis sortez les plus beaux morceaux de poisson et passez le déchet avec l'assaisonnement au tamis au-dessus de votre soupière dans laquelle vous aurez préparé deux tranches de pain grillé par personne, sur lesquelles vous versez votre bouillon. On peut ajouter sur le pain du persil et de l'ail hachés.

Servez le poisson sur un plat en même temps que la soupe. (Quant aux poissons à employer, il en faudrait de plusieurs sortes tels que rascasse, mérou, muraine, dorade et crabes. Mais si l'on n'a pas ces poissons, la dorade ou de belles crevettes roses non cuites en font un plat très fin.)

Recette d'Aurore Sand

Borchtch Russe

Pot-au-feu

1 kilo plat de côte maigre
2 oignons
500 grammes ensemble de carottes, navets, poireaux
1 chou moyen
500 grammes de betterave rôtie au four
sel, poivre, vinaigre 45 grammes
eau 4 litres

Portez la viande dans l'eau salée froide. Élevez lentement la température. Écumez avant l'ébullition.

Ajoutez les légumes coupés en julienne (de 4 à 5 centimètres de long et d'un demi-centimètre de large environ).

Réservez la betterave pour usage ultérieur. Laissez bouillir 3 heures, sur tout petit feu dans un récipient couvert. Avant de servir, ajoutez la betterave hachée très fin, puis 3 cuillerées de vinaigre de vin.

Donnez un bouillon de 2 minutes et servez. Distribuez dans chaque assiette, bouillon, légumes, viande et une cuillerée de crème fraîche épaisse, servie à part.

Les Russes font une quantité de borchtch différents. Retenez les variantes :
Remplacez le chou par de la choucroute ou la betterave, par de la purée de tomates. Inutile d'ajouter que le vinaigre est inutile si on emploie une choucroute suffisamment acide.

Recette d'Aurore Sand

Le bortsch est un des rares plats d'Europe orientale qui ait été connu en France avant la Révolution russe. C'est un potage populaire à base de betteraves et de choux qui peut être consommé froid ou chaud selon la saison.
Carême nous propose une recette de *Barch, potage polonais,* en 1847, qu'il dit devoir à M. Plumeret, cuisinier du prince Talleyrand.

Alexandre Dumas Fils.

La garbure aux choux est le plat de base de l'alimentation populaire du Sud-Ouest. Le mot « garbure » vient, en effet, du gascon « garburo », qui signifie « gerbe », et désigne le mélange de légumes et d'aromates qui le compose, bouquet de saveurs potagères quelquefois agrémenté du « trébuc », morceau de porc ou d'oie confit. L'usage du gruyère ne fait pas partie de la tradition gasconne mais est très significatif de cette cuisine bourgeoise du XIXe siècle qui n'hésite pas à l'employer à profusion.

Potage à réaliser avec de jeunes navets nouveaux de printemps auxquels on peut ajouter les fanes bien nettoyées.

Chou en Garbure

Cuisine bordelaise

« Très bon »

Après avoir fait blanchir un beau chou (c'est-à-dire l'avoir fait cuire presque entièrement à l'eau bouillante et au sel, trois quarts d'heure environ), vous l'égouttez et ôtez les plus grosses côtes des feuilles. Puis préparez une soupière pouvant aller sur le feu. Vous placez au fond un lit de feuilles de choux.

Puis un lit de fromage de gruyère en fines tranches très minces que vous couvrez avec des tranches de pain. Continuez à faire des couches en alternant toujours dans l'ordre pour finir le gruyère.

Assaisonnez avec sel et poivre et mouillez de bon bouillon (celui obtenu avec du pied de veau cuit avec les légumes et coupé d'un peu de bouillon de bœuf ou seul est excellent).

Puis faites mijoter et gratiner au four pendant une heure. Servez comme potage avec du bouillon dans un autre vase. (Très bon sans bouillon pour commencer le déjeuner.)

Recette de Dumas (fils)
Manuscrit d'Aurore Sand

Potage à la Purée de Navets

« Délicieux »

Pelez des navets selon la quantité que vous voulez faire et mettez-les cuire à feu doux, mettez 2 litres d'eau pour 500 grammes de navets, 200 grammes de riz bien lavé par 2 litres d'eau, un bon morceau de beurre, sel et poivre. Après cuisson passer au tamis ou une passoire fine, remettre sur le feu la purée, si elle est trop épaisse, la détendre avec un peu de lait et au moment de servir y ajouter 100 grammes de beurre fin et un verre de crème.

Recette de Rose Renault
Manuscrit de Lina Sand

La table de la cuisine. *Je m'assieds quelquefois au fond de ma cuisine en regardant rôtir le poulet du dîner et en donnant audience à mes coquins et à mes mendiants...*
G. S. à Boucoiran, 13 mars 1830.

Potage au Fromage

«Très bon»

Pour 5 à 6 personnes.

Se procurer du bouillon maigre, 1/2 livre de fromage de gruyère. Râpez-en la moitié, coupez l'autre moitié en tranches très fines.

Dans le fond d'une soupière qui puisse aller au feu, mettez un peu de beurre frais puis une légère couche de fromage râpé.

Couvrez avec une couche de tranches de pain rassis, coupées très minces : sur cette couche de pain, mettez une couche de tranches de fromage, puis une de pain, ensuite du fromage râpé, continuez ainsi jusqu'à ce que le gruyère soit tout employé.

Sur la dernière couche qui doit être de tranches de fromage, mettez quelques morceaux de beurre : mouillez avec une partie de votre bouillon maigre et faites mitonner sur le feu jusqu'à ce qu'il se forme un gratin dans le fond de la soupière et que tout le bouillon soit tari.

Remettez alors du bouillon chaud et servez bien chaud. Ce potage doit être un peu épais.

À défaut de bouillon maigre, on peut employer de l'eau avec un fond fait avec des oignons. Cuisson, environ 1 h 1/2.

Recette d'Aurore Sand

Potage Crème de Chou-fleur à la Rohan

Pour environ 2 litres de potage soit pour 8 personnes
500 grammes environ de chou-fleur pesé après enlèvement du trognon et des grosses queues
75 grammes de tapioca
150 grammes de beurre frais
50 grammes de crème de riz
20 grammes de sucre 20 grammes de sel
3 jaunes d'œufs frais 1 litre de lait
1/2 décilitre de crème fraîche

Si l'on se réfère aux nominations culinaires classiques telles qu'elles ont pu être arrêtées, l'appellation « à la Rohan » est erronée car un potage crémé au chou-fleur est traditionnellement désigné comme « crème Dubarry ».
De plus, cette recette en est une version particulièrement épaissie par l'action conjuguée des deux féculents, le tapioca et la crème de riz.

Je choisis un chou-fleur bien blanc à bouquets serrés, je mets le chou-fleur dans 1 litre d'eau salée avec 20 grammes de sel, il est préférable d'employer l'eau froide, je couvre la casserole pour activer et je la découvre quand l'ébullition est déclarée : ceci pour empêcher de jaunir et la mauvaise odeur.

Après 12 à 15 minutes d'ébullition c'est cuit. Je retire le chou-fleur de l'eau et après l'avoir bien égoutté, je le réduis en purée.

Pendant qu'il égoutte, j'ai passé l'eau dans laquelle il a cuit et la remets sur le feu. Quand elle est bouillante, j'y jette le tapioca en pluie pour que les grains ne se collent pas.

Je laisse reprendre l'ébullition, puis dès qu'elle a repris, je couvre la casserole et la retire sur le coin du fourneau de manière que l'eau reste presque bouillante. Je laisse ainsi pocher le tapioca pendant 20 minutes. D'autre part, je délaye à froid la crème de riz dans le lait, j'ajoute le sucre et je pousse à ébullition en remuant sans cesse avec la cuillère de bois pour éviter l'attachement.

Quand l'ébullition est déclarée, je passe et je verse dans le tapioca auquel j'ajoute ensuite la purée de chou-fleur. Je goûte pour le sel et j'en ajoute si besoin est. On ne doit procéder à la liaison qu'au moment de servir. Je délaye alors les jaunes d'œufs avec la crème et je verse dans la soupière en passant pour éviter tout grumeau.

J'ajoute le beurre cassé en morceaux et sur le tout, je verse le potage presque bouillant. Il importe comme toujours de n'en verser d'abord qu'une petite quantité et de tourner sans cesse pour éviter que l'œuf cuise brusquement et que le potage ne tourne.

Recette de Lina Sand

Potage à la Reine

Il se fait de deux manières, soit avec une volaille cuite exprès dans du bouillon avec bouquet garni, oignons, carottes, sel et poivre ; puis retirée de la cuisson, refroidie, dépecée, et ses chairs dégagées de peau et de graisse, pilée dans un mortier avec de la mie de pain imbibée de bouillon de cuisson, enfin cette purée passée au tamis, détendre sur le feu, mais sans bouillir, avec la cuisson de la volaille passée à l'étamine.

Au moment de servir, on lie le potage avec du lait d'amandes obtenu par l'expression à travers un linge, d'amandes pilées et mouillées avec de la crème, et on verse dans une soupière où se trouvent des quenelles de volaille de la grosseur d'un pois.

L'autre méthode est l'emploi des restes de volailles rôties en broche.

On enlève les peaux et le gras et l'on pile os et chairs dans un mortier. Cette farce est mise à mijoter dans une casserole avec du bouillon non coloré. On y incorpore ensuite de la mie de pain imbibée de bouillon, et le tout est passé au tamis, puis détendu avec le bouillon nécessaire, on finit comme ci-dessus.

Recette de Lina Sand

Le Potage à la Reine est depuis le XVIIe siècle une des préparations les plus exquises de la haute gastronomie française. L'appellation « à la Reine » désigne d'ailleurs toujours un mets délicat et élégant qui peut ou non avoir trait à la volaille. (Voir Bouchées à la Reine.)
La première méthode proposée est de loin la plus alléchante car la volaille peut développer tout son parfum exclusivement pour le potage et, malgré ses nombreux apprêts, elle mérite la peine d'être entreprise.
Mais c'est le choix de la liaison au lait d'amandes qui a retenu surtout notre attention car, en effet, si cet usage est attesté depuis le Moyen Âge (on en trouve déjà des exemples dans le plus ancien Traité culinaire anonyme écrit en ancien français vers l'an 1300, *Les enseignements qui enseignent à appareiller toutes manières de viandes*), les cuisiniers du XIXe siècle l'ont abandonné au profit de la liaison par les roux. Cet emploi du lait d'amandes est donc en quelque sorte ici archaïque et témoigne à la fois d'un certain conservatisme mais également d'une connaissance indubitable de la part des cuisinières de maison bourgeoise des pratiques de la haute cuisine des siècles précédents.

Potage à la Purée de Potiron

« Très bon »

Prenez une tranche de potiron environ pour 4 personnes. Débarrassé de ses graines, pelez-le et coupez-le en morceaux gros comme des œufs.

Mettez les morceaux dans une casserole avec très peu d'eau, ce qu'il en faut seulement pour que le potiron cuise sans attacher, salez modérément, couvrez la casserole et faites cuire à feu modéré ; il faut environ un quart d'heure ou 20 minutes.

On reconnaît qu'il est cuit quand le potiron s'écrase facilement. Égouttez-le bien dans une passoire et ensuite pilez-le et passez-le à travers cette même passoire, certains potirons ayant toujours des filaments. Réservez cette purée au chaud et au moment de servir, seulement, vous la mélangerez avec du riz au lait cuit dans les conditions et

Le potiron est une courge juteuse et fondante au goût beaucoup plus fin que celui de la citrouille.

Lina Sand. *Ce ne fut qu'après le mariage de Maurice Sand, qu'une personne intelligente aux choses du ménage, désireuse de plaire à sa belle-mère et à ses hôtes, se mit à organiser agréablement la table, et à former une cuisinière émérite.* Solange Clesinger sur sa mère (inédit).

proportions suivantes. Pour 4 personnes, vous aurez un kilo de potiron tout épluché, un litre de lait et trois cuillerées de riz, cuillerées à soupe et pas très pleines.

Lavez le riz à plusieurs eaux jusqu'à ce que l'eau reste limpide. Égouttez-le bien et jetez-le dans la moitié de votre lait bouillant. Laissez cuire jusqu'à ce que le riz soit tendre, soit une demi-heure si on ne l'aime pas trop crevé. Enfin, quand il va être à point, ajoutez-y le reste de votre lait, de façon que tout soit chaud également et sucrez. 4 ou 5 morceaux de sucre à la mécanique.

Mettez dans la soupière au moment de servir seulement, la purée tenue chaude et versez-y doucement le riz au lait en remuant.

Le potiron ne doit pas chauffer sur le feu avec le lait qui tournerait facilement. C'est pourquoi il ne faut faire réchauffer qu'au bain-marie tout le reste de ce potage.

Recette de Lina Sand

Soupe aux Poireaux

Recette belge

On choisit des poireaux bien blancs, on les épluche et on les coupe en très petits morceaux. Il en faut une assez grande quantité. On les fait roussir dans du beurre.

Quand ils ont pris une belle couleur, on y ajoute de l'oseille soigneusement épluchée, et on couvre pour la faire bien fondre. On remue vivement, on mouille dans de l'eau, et on sale.

On peut remplacer l'oseille par des navets coupés en tranches qu'on fait revenir avec les poireaux. On peut préparer cette soupe au pain, au riz ou aux pommes de terre ; elle est très bonne. Elle peut se faire dans une marmite, elle gagne à être réchauffée.

Recette de Lina Sand

Soupe aux Endives

ou Escarolles

Ces endives ne sont pas frisées et ont de larges feuilles plates, pas vertes, jaunâtres, dans le genre des chicorées, mais ne sont pas amères comme celles-ci ; cuisez des pommes de terre dans de l'eau avec du sel et une tranche de pain blanc.

Étuvez à part dans du beurre, avec sel et poivre, un couple de plantes d'endives découpées en morceaux grands comme ceci.

Faites passer au tamis ces pommes de terre, ajoutez-y vos endives et liez votre soupe, pas avec de la farine, mais avec un jaune d'œuf ou avec de la bonne crème ou mieux encore tous les deux.

Cette description détaillée ne doit pas nous surprendre car, si l'endive était déjà consommée sauvage durant l'Antiquité, elle ne fut cultivée qu'à partir du début du XIXe siècle et nous arriva de Belgique sous le nom de « chicorée de Bruxelles ». Il faut donc la considérer ici comme un produit exotique et excuser cette recette encore hésitante sur la façon de l'accommoder.

Soupe Maigre aux Petits Pois

On met les petits pois dans la casserole avec une laitue dessus et du cerfeuil, on verse plein la casserole d'eau bouillante et on sale. On les met à 4 heures au feu, ils cuisent tout doucement.

Vers 5 h 1/2 on met environ un demi-quart de beurre et si la laitue est acide et les pois non sucrés, on met un morceau de sucre.

Au moment de servir on délaye 2 jaunes d'œufs dans du lait frais puis on met dans la casserole et on verse sur des croûtons ou du pain grillé.

Recette d'Aurore Sand

On peut également ajouter de la poitrine salée pour parfumer les légumes.

Soupes. *Je dîne à la maison : soupe maigre, omelette, deux petites vandoises, fromentée, café ; patiences. J'ai reçu une lettre de Mancel d'avant-hier. Je lis Hugo — je suis bien, quel silence !...*

Je dîne en rentrant d'une soupe maigre, d'une friture de petits poissons, et d'une omelette.
G. S. Journal de Gargilesse. 1864.

Vandaise ou Vendoise, excellent poisson de la Creuse (nageoires rouges) que nous mangeons à déjeuner sur le grill et ensuite sauté dans le beurre.
G. S. Journal de Gargilesse.

Soupe aux Tomates - Pot-au-Feu

1 kilo de tomates brut, 60 grammes de beurre frais, 30 grammes de sel, 1 litre 1/2 d'eau chaude, 4 cuillerées rases de tapioca, 3 cuillerées de crème épaisse, 2 jaunes d'œufs, poivre à volonté, 1 gousse d'ail facultative. Temps nécessaire : 1 h 1/4.

Ayez de belles tomates bien mûres et charnues. Après les avoir pesées, coupez-les en deux ou en quatre, selon leur grosseur et pressez chaque moitié doucement entre les doigts de façon à en faire couler l'eau et la plus grande quantité de graines et les queues.

Prenez une casserole de la contenance d'environ 3 litres en cuivre étamé à fond épais. Mettez-y la tomate avec le beurre. Couvrez la casserole et posez-la sur feu modéré. Découvrez de temps en temps pour remuer et voir si rien ne s'attache. La tomate doit bouillir régulièrement sur toute la surface de la casserole mais pas trop fort. Laissez cuire ainsi une demi-heure. Au bout de ce temps versez sur la tomate l'eau indiquée chaude ; ajoutez le sel, une bonne pincée de poivre moulu, et si vous n'y avez pas d'objection, la gousse d'ail. L'ail se met non dépouillé, de façon à être retrouvé plus facilement avant de passer la tomate au tamis. On ne le laisse cuire qu'un quart d'heure et son passage dans le potage donne juste un très léger arôme à peine reconnaissable.

Liquide et assaisonnement étant ajoutés, remettez la casserole sur le feu, couvrez bien la casserole et laissez bouillir doucement encore un quart d'heure. Posez le tamis sur une terrine. Versez dessus tout le contenu de la casserole. Otez la gousse d'ail. Ensuite avec le champignon de bois, frottez et appuyer pour faire passer la tomate dont il ne doit rester sur le tamis que les peaux sèches et les graines. Raclez bien l'intérieur du tamis. Rincez la casserole où a cuit la tomate. Reversez-y le potage ainsi passé.

Mettez la casserole sur un bon feu et faites bouillir. Quand tout le liquide bout franchement, jetez-y le tapioca que vous laissez tomber d'un peu haut, petit à petit, pour qu'il s'éparpille en poussière dans le liquide. Dès que le tapioca est ajouté, laissez bouillir tout au plus une demi-minute encore puis couvrez hermétiquement la casserole, retirez-la sur un feu très doux et ne laissez plus bouillir. L'ébullition une fois le tapioca ajouté, donnerait au potage le goût de colle qu'on reproche souvent à ce genre de potage. Il faut laisser le tapioca pocher au chaud, tout simplement, pendant 15 à 20 minutes. Délayez dans un bol les deux jaunes d'œufs avec la crème. C'est de la crème épaisse, fraîche telle qu'on la prendrait pour faire le beurre. Quand le tout est bien mêlé, ajoutez-y successivement trois ou quatre cuillerées du potage en délayant à mesure pour réchauffer la liaison. Reversez alors dans la casserole en un mince filet tandis que de la main droite vous tournez vivement. Tournez une minute sur feu très très doux sans bouillir et servez.

Recette de Lina Sand

Huile d'olive. *Si vous recevez de l'huile d'Aix comme l'année dernière, envoyez-nous en un baril.*
G. S. à Mme Caron. 1826.

L'huile d'olive d'Aix est une huile d'olive de premier choix très réputée pour ses grandes qualités de pureté.

Soupe Espagnole

« Très bon »

Pour 4 personnes.

Mettez dans une casserole un petit verre à madère d'huile d'olive sans goût. Quand elle est bouillante, jetez-y 2 beaux oignons coupés, deux grosses tomates en morceaux, un clou de girofle, sel, poivre et bouquet.

Faites revenir d'une demi-heure à trois quarts d'heure, puis mettez l'eau en quantité suffisante et laissez mijoter une heure. Préparez dans la soupière des tranches de pain. Trempez et servez.

On peut ajouter au dernier moment du gruyère et laisser gratiner au four.

Recette de Mme Marie
Manuscrit d'Aurore Sand

Voir également d'autres recettes de soupes en pages 229 et 231.

Entrées, œufs

Ci-dessus : notes de la main de George Sand sur les œufs trouvés au cours de ses promenades (Musée de Gargilesse).

Cette trilée belge trouve son équivalent dans notre région avec l'ancienne coutume estivale du « miot » ou de la « miettée » ; pain émietté dans du vin rouge frais et sucré, pris le plus souvent comme collation au retour des champs lors des grandes chaleurs.

Une recette traditionnelle espagnole qu'il est encore possible de trouver aujourd'hui, notamment dans la région de Valence, accompagnée de la sauce à la tomate et aux amandes, exposée ici en deuxième version.

À droite : devant la fenêtre de la cuisine, le potager sur lequel on préparait les ragoûts et autres mets exigeant une constante surveillance durant la cuisson. Il était placé près des fenêtres ce qui permettait l'évacuation des émanations de gaz toxiques dégagées par le charbon de bois qui y était brûlé. Dans les bouillottes de cuivre du fourneau, l'eau chaude destinée aux chambres

Trilée Belge

Pendant la chaleur. Découpez en fins morceaux de la croûte de pain dans une soupière ; saupoudrez abondamment de cassonade.

Jetez par-dessus un litre de bière forte. Portez ensuite la soupière couverte à la cave et l'y laisser six heures.

Il n'est aucun mets qui soit aussi rafraîchissant, en même temps que réconfortant.

Recette de Lina Sand

Croquettes de Bœuf Bouilli

Albondigas de carne - Mets espagnol

On prend de la viande de bœuf, de veau et un peu de porc. Ces viandes sont crues ; on les hache très fin, on y ajoute de la chapelure, des oignons découpés, du persil, du sel, du poivre, un ou plusieurs œufs, selon la quantité de viande. Avec ce hachis, on forme des croquettes, que l'on fait cuire dans du beurre ou de l'huile en ébullition. On les met ensuite dans une casserole, avec du bouillon en quantité suffisante pour les recouvrir ; on laisse cuire pendant un quart d'heure. On prend deux jaunes d'œufs durcis, on les délaye avec du jus de citron, on met le tout dans la casserole.

On peut aussi faire la sauce suivante, si on la préfère : après avoir fait frire les croquettes, on fait roussir dans le même beurre une poignée d'amandes émondées.

On enlève les amandes, on emploie le même beurre pour faire cuire quelques tomates pelées et découpées. On ajoute ensuite le bouillon, les amandes bien pilées, et finalement les croquettes.

Recette de Lina Sand

Casse-Museau

Le casse-museau est une pâtisserie dure très prisée autrefois.
Le Cuisinier françois (1651) nous en propose deux versions dont l'une précise : « Prenez du fromage mol non écrémé qui soit frais, ou bien du laict caillé et du fromage sec découpé bien menu. »
La recette donnée ici est proche de celle des gnocchis.

Prenez une bonne assiettée de fromage blanc. Ajoutez-y dans une terrine, employez avec attention, selon l'état du fromage plus ou moins liquide 4 cuillerées à entremet, ou à bouche, plus ou moins pleines de farine, mettez un œuf (jaune et blanc) et un peu de sel, un demi-quart de beurre très frais et délayez bien le tout ensemble.

Beurrez un plat qui aille au four, mettez un verre ou une tasse au milieu, formez une couronne avec la pâte, mettez au four, environ 3/4 d'heure et servez chaud ou tiède.

Recette de Nounou
Manuscrit d'Aurore Sand

Bouchées à la Reine

Un des plus beaux fleurons de la cuisine bourgeoise (voir Potage à la Reine).

Feuilletage : une livre de farine, une livre de beurre très ferme, un petit tas de sel et un jaune d'œuf. Détrempez votre farine avec de l'eau bien fraîche, le sel et le jaune d'œuf, évitez que votre pâte soit trop dure et coriace, laissez reposer 10 minutes.

Mettez le beurre et travaillez, donnez-lui 2 tours, laissez reposer 10 minutes, ainsi de suite jusqu'à 6 fois, ensuite coupez vos bouchées à l'emporte-pièce, dorez-les à l'œuf battu, ouvrez-les dessus pour former le couvercle, faites cuire à feu modéré, ouvrez aussitôt cuit et videz-les.

Garniture : champignons, truffes, crêtes de coqs, coupés en petits dés passés au madère ou mieux, dans une bonne demi-glace, ou une sauce fricassée de poulet bien liée.

Recette de Magny
Manuscrit de Lina Sand

Entrée de Légumes

Prenez des pommes de terres nouvelles (cuire au beurre); des haricots verts, des petits pois : faites cuire à l'eau séparément. Coupez du céleri-rave (cru), très fin et peu. Puis faites une pâte : farine délayée à l'eau et un œuf entier, sel. (Laissez reposer la pâte une heure.) Écartez-la et pliez plusieurs fois, ajoutez le beurre.

Pour la sauce : dans une casserole, faites fondre du beurre, ajoutez 2 bonnes cuillerées à bouche de farine, bien délayer, 1/2 litre de lait chaud (bouillant), tournez jusqu'à ce que la sauce soit prise, ajoutez un peu de muscade râpée (une bonne pincée), sel, poivre.

Quand la sauce est faite, placez les légumes dans la sauce et laissez bouillir tout doucement 1/4 d'heure à 20 minutes. Placez cette fourniture dans un plat qui va au four ; couvrez le tout avec la pâte, bien fermer sur les bords.

Dorez au four après avoir piqué la pâte avec des pointes de fourchette. Une demi-heure de cuisson à bon feu.

Variante : Céleris-rave, marrons, endives, laitues cuites, salsifis, crosnes. Toujours mélanger un farineux aux légumes verts, ou tout le plat aux légumes verts au printemps.

Servir dans une croûte de vol-au-vent est plus joli et plus délicat encore.

Recette d'Aurore Sand

Une recette amusante de tourte aux légumes à la béchamel.

Pour Manger du Caviar

Pour manger du caviar, faites griller du pain et lorsqu'il est encore tiède, étendez-y du beurre fin, puis pressez le jus du citron sur votre caviar que vous remuez.

Lorsque le jus du citron a produit une certaine liaison blanche, étendez le caviar proposé sur votre tartine grillée.

Recette d'Aurore Sand

Fondue au Fromage

«Très bon»

Cette fondue est en fait un soufflé au fromage.

(1/4 de gruyère râpé.) 1 demi-quart de beurre frais que vous faites fondre dans la casserole, mettez deux bonnes cuillerées à bouche de farine.

Salez légèrement, tournez et mélangez bien ; ajoutez pour 3 sous de lait (le mettre bouilli dans la casserole).

Délayez bien et ajoutez le fromage sur feu doux. Tournez 5 minutes, ajoutez trois jaunes d'œufs et battre les blancs en neige (3), vous avez déjà mêlé vos 3 jaunes à la pâte. Graissez un moule ou plat creux, de beurre frais. Un bon quart d'heure au four chaud.

Recette de Nounou
Manuscrit d'Aurore Sand

Céleri au Jus

Recette belge - Entrée

La conception de ce plat est très intéressante car le céleri-rave est habituellement perçu comme un légume secondaire et d'appoint. Or, ici, il devient le support même du plat. Cette approche coïncide curieusement avec la mise en valeur depuis une dizaine d'années dans notre cuisine contemporaine des légumes en général. De plus, l'association céleri-truffe (blanc et noir) est réapparue également dernièrement sur nos tables.
Ainsi ces céleris au jus peuvent-ils symboliser une certaine filiation culinaire à travers les siècles.

Prenez des céleris, autant que possible de forme régulière. Épluchez-les. Coupez le dessus afin de former un espèce de couvercle puis creusez-les.

Faites-les blanchir et retirez-les. Emplissez-les d'une farce très fine composée de chair à saucisse truffée à laquelle vous ajouterez des champignons hachés et passés au beurre.

Mettez vos céleris dans une casserole avec du beurre et faites-les dorer à petit feu. Puis versez dessus du très bon jus que vous avez fait à part et en assez grande quantité.

Si vous désirez que ce plat vous serve dans votre dîner de légumes, vous choisissez des céleris de très petite dimension et vous les remplissez alors d'une farce faite exclusivement de champignons et de truffes.

Recette de Mme Masson

Entrée de Bœuf et de Veau

Prenez une tranche de viande de bœuf et une tranche de viande de veau ; battez-les pour les aplatir ; préparez une farce composée de chair à saucisse, champignons hachés, mie de pain blanc trempée de lait, un peu de truffes ; placez cette farce entre les deux tranches de viande, roulez, ficelez, faites cuire à très petit feu pendant cinq ou six heures ; déficelez soigneusement, servez avec le jus, et garnissez la pièce de viande de truffes et de champignons.

Cahier d'Aurore Sand

Des paupiettes de viande où l'on peut remplacer la truffe par un champignon sauvage.

Tarte au Fromage

« Très bonne entrée »

Faites une pâte avec :
1/2 livre de farine
150 grammes de beurre
4 à 5 grammes de sel
un œuf
un peu d'eau tiède

Pétrissez, mêlez bien, cinq minutes. Laissez reposer la pâte 1/2 heure. Beurrez le moule à tarte et dressez la pâte dedans. Mettez au four. Laissez cuire, dorée. Ayez préparé une sauce au lait épaisse, faite avec : 1/2 livre de gruyère râpé, 1/2 litre de lait tiède, un œuf de beurre, 4 à 5 cuillerées de farine, pas de sel ou peu. Procédez ainsi :

Faites fondre le beurre dans la casserole. Délayez-y la farine en tournant vivement puis ajoutez peu à peu le lait, tournez toujours sur le feu jusqu'à ce que la sauce épaississe bien.

Ajoutez le gruyère. Posez cette béchamel sur la tarte déjà cuite et chaude, parsemez de lamelles de gruyère coupé, enfournez 5 à 10 minutes pour que le gruyère gratine rapidement.
Servez pas brûlant.

Recette d'Aurore Sand

Pour les inconditionnels de la sauce Mornay (béchamel au gruyère), ici gratinée sur un fond de pâte.

Un dîner apporté de Nohant. *Arrivée à Gargilesse à 5 h 30. C'est plus beau toujours, et la lune ce soir !... Je fais mon lit, je balaie, je défais mon paquet, je range, je me sers mon dîner, œufs, pommes de terre, fromentée, pommes, dragées, café, tout froid mais en bon état sortant de la caisse.*
G. S. Journal de Gargilesse. 1864.

Retrouver dans les cahiers de recettes de Nohant une fromentée au blé est un important témoignage historique sur la réalité des consommations alimentaires en maison bourgeoise dans le Berry du XIXe siècle.
La bouillie de céréales est, en effet, le plus vieux plat de l'humanité. Elle s'est implantée en Europe sous diverses appellations : Caton l'appelle « polinta », les Anglo-Saxons « porridge », et nos premiers traités culinaires du XIVe siècle en ancien français la surnommèrent « fromentée ». Elle fut unanimement appréciée dans toutes les classes sociales de l'Europe médiévale.
Pourtant, les modes gastronomiques se succédant, on aurait pu croire son usage oublié. Mais à bien regarder les livres de cuisine, elle est toujours présente, discrète parmi d'autres préparations plus élaborées. La Varenne (1651) qui commence à rompre avec les traditions culinaires médiévales propose comme « entrée et entremets des jours maigres et autres jours de charnage ou de carême » une « bouillie de fleur de bled » et Menon en 1756 classe parmi les légumes la recette « du gruau » que l'on « sert pour les personnes qui ont la poitrine faible ». Enfin, la fromentée réapparaît à Nohant comme recette-vedette qui semble être appréciée par tous et non seulement destinée aux enfants ou aux malades.
Aussi peut-on dire que nous avons là un exemple remarquable d'une recette qui a survécu dans sa forme originale au moins depuis le XIVe jusqu'au XIXe siècle malgré la concurrence accrue de nouveaux féculents variés (pâtes, riz, semoule, tapioca, pommes de terre) et l'évolution historique du goût.

La Fromentée au Blé

Comme à Nohant

« Exquis »

(D'après un journal, prêté, fait toute une présentation avec la photographie de Juliette Meillant qu'il intitule la dernière cuisinière de George Sand à Nohant.)

Vanner du blé nouveau. Bien le laver. Le mettre à tremper 1/2 heure à l'eau tiède. Puis le piler dans un vase pour enlever la balle, mais pas trop fort pour ne pas écraser les grains.

Mettre à l'eau froide et cuire quatre à cinq heures, à petit bouillon comme pour le pot-au-feu. Les grains doivent absorber toute l'eau.

Ajouter de l'eau chaude si nécessaire. Retirer du feu, saupoudrer avec de la farine et délayer à froid avec un peu de lait. Verser ensuite du lait bouillant sur le blé et la farine bien mélangés.

Faire cuire à petit feu pendant 20 minutes en tournant doucement pour que cela ne s'attache pas au fond de la casserole.

Quand tout est cuit à point, il se forme une grosse bouillie qui devient une gelée épaisse en refroidissant. Servir tiède ou froid, jamais chaud.

Recette d'Aurore Sand

Fromentée

Émulsion de froment

L'émulsion de froment (fromentée) se fait en gras avec du bouillon comme la soupe au riz ou en maigre avec du lait, de l'amande et du sucre.
(Recette de 1782)

Recette de Maurice Sand

Ci-dessus : l'argenterie de famille vient d'être sortie du coffre.

Gâteau de Gannat

«Très bon»

Mettez dans une terrine 250 grammes de fromage de gruyère coupé en morceaux très minces, 250 grammes de farine, 250 grammes de beurre, 6 jaunes d'œufs, du sel.

Maniez un peu de façon à broyer le beurre, puis ajoutez les 6 blancs battus en neige, mêlez bien le tout avec la main.

Dressez cette pâte en forme de couronne sur un plateau étamé, légèrement beurré et mettez au four chaud environ pendant 3/4 d'heure. Quand le gâteau est cuit, il se détache tout seul du plateau.

Afin de conserver la forme en couronne, mettez au milieu du plateau un vase de forme ronde qui empêche la pâte de couler.

Recette de Nounou
Manuscrit d'Aurore Sand

Gannat : chef-lieu de canton de l'Allier. Recette assimilable à celle de la gougère.

A droite : recette manuscrite de George Sand.

Une recette plutôt sucrée où domine le parfum de la cannelle et du citron. Nous conseillons, plutôt que de la servir en entrée, d'en couper des petits morceaux et de les grignoter à l'apéritif. Insolite garanti.

GNOCCHIS

Un demi-litre de lait frais
le zeste d'un citron
laissez infuser dix minutes à froid
2 jaunes d'œufs
50 grammes sucre en poudre
120 grammes farine

Démêlez la farine dans le lait où a infusé le citron par petite quantité et peu à peu pour empêcher les grumelots. Retirez le citron. Délayez les jaunes d'œufs démêlés. Mettez le sucre et délayez encore le tout avec soin.

Mettre sur un feu doux en tournant toujours pendant une moyenne de dix minutes — jusqu'à ce que le mélange ait pris la consistance d'une bouillie. Étendez sur un grand plat et laissez refroidir pendant 2 heures.

Ayez un plat d'argent ou de caillou graissé de beurre, 6 cuillerées à soupe de fromage de gruyère râpé, encore vingt grammes de sucre en poudre, une forte cuillerée à café de cannelle en poudre. Mêlez ces trois condiments qui doivent donner une couleur de café au lait. Étendez sur le plat d'argent une première couche de la bouillie et saupoudrez-la du mélange de condiments, au-dessus duquel vous placerez de petits morceaux de beurre un peu partout. Remettez une seconde couche de bouillie, puis une seconde couche de condiments et de petits morceaux de beurre très minces (8 à 10). Placez la 3e couche de bouillie. Avec un couteau et une fourchette vous étalerez plus facilement qu'à la main la 3e couche de condiments puis de petits morceaux de beurre au-dessus. 4e et dernière couche de bouillie avec la couche de condiments plus épaisse pour faire gratiner et de très petits morceaux de beurre au milieu. Puis mettez sur le tout une très légère pincée de sucre en poudre. Mettez le plat ainsi composé au fond du four de campagne très doux et laissez une demi-heure. Servez chaud ou froid à volonté.

Manuscrit inédit de George Sand

Gnocchis [illegible]

un demi litre de lait froid.
le zeste d'un citron
Laissez infuser 10 minutes à froid

2 jaunes d'oeuf –
50 grammes sucre en poudre
120 grammes farine.

Délayez la farine dans le lait où a infusé le citron. par petite quantité et peu à peu pour empêcher les grumelots. retirez le citron, délayez les jaunes d'oeufs et mélangez [illegible] le sucre et délayez encore le tout avec soin.

Mettre sur un feu doux en tournant toujours pendant une quinzaine de 10 minutes – jusqu'à ce que le mélange ait pris la consistance d'une bouillie. étendez sur un grand plat et laissez refroidir pendant 2 heures

ayez un plat d'argent ou de cailloux garni de beurre, une 8 cuillerées à soupe de fromage de gruyère rapé, encore vingt grammes de sucre en poudre.

Maurice Sand est un bricoleur (il confectionna les marionnettes de Nohant) et il nous le démontre ici en utilisant une lampe à alcool (esprit de vin : alcool éthylique) pour indiquer le temps de cuisson des œufs à la place du sablier traditionnel.
On peut aussi tout simplement pocher ses œufs dans de l'eau vinaigrée et compter...

Pour Cuire Un Œuf Mollet

On verse de l'esprit de vin dans le petit récipient de la lampe tandis que pour cuire un œuf dur on remplit le plus grand récipient. La petite mesure en fer blanc qui se trouve auprès contient :

En la remplissant une fois la quantité nécessaire pour cuire les œufs mollets. Et 2 fois pour les œufs durs. Après quelques minutes l'esprit de vin est brûlé et les œufs sont cuits dans la vapeur d'eau.

Pour les œufs mollets on fera bien après la combustion de l'esprit de vin d'ôter le couvercle de l'appareil pour empêcher l'influence de la vapeur sur les œufs.

Recette de Maurice Sand

Œufs Farcis

Hors-d'œuvre

« Bon »

« Recette inventée par Aurore »

Faites durcir 4 œufs frais, coupez-les en deux. Enlevez les jaunes, broyez-les bien en y ajoutant un peu d'huile, un peu de vinaigre, sel, poivre, bouillon (une ou deux cuillerées), fines herbes hachées très fin (pimprenelle, persil, thym, estragon, cerfeuil, un brin de fenouil et d'hysope), deux anchois et un petit morceau de viande blanche hachés menu.

Mêlez bien le tout ; bien lié ; vous pouvez y ajouter si vous y aviez mis un peu trop de vinaigre ou que votre hachis soit insuffisant un peu de mie de pain bouillie dans du lait. Cela amollit et veloute la farce. Emplissez-en les blancs dont vous coupez la base pour qu'ils se tiennent debout. Dressez sur des raviers et mangez froid.

On peut y ajouter un peu de sauce tomate en mettant moins d'anchois et aussi remplacer les anchois par des sardines à l'huile.

Recette d'Aurore Sand
La deuxième note est de Lina

ŒUFS À LA CRÈME

Prenez une dizaine ou moins d'œufs que vous faites cuire mollets. Faites bouillir moins d'un demi-litre de lait ; mettez trois cuillerées de farine avec un bon quarteron de beurre dans une casserole à part.

Faites fondre le beurre en tournant la farine avec. Quand elle est bien mêlée, versez le lait en tournant toujours jusqu'à ce que la sauce prenne consistance, les œufs mollets coupés en deux sont dressés dans le plat.

Mettez un peu de persil bien haché dans la sauce que vous laissez cuire cinq minutes sur le feu en mêlant toujours. Puis versez la sauce sur les œufs et servez tout de suite.

Recette de Lina Sand

Œufs. *Veux-tu dire à Mme Milochaud qui m'a fait demander des œufs de mes poules que les cinq ou six poulettes de race que j'ai, n'ont pondu que très tard, vu leur jeune âge, et fort peu jusqu'à présent. Je n'ai donc pas cru devoir me priver d'œufs à la coque pour lui envoyer des métis de mes autres poules.*
G. S. à Léontine Simonnet. 1859.

RAMEQUINS

«Très bon»

60 grammes de beurre (pour 7 ramequins)
125 grammes de farine
100 grammes de gruyère râpé
2 doubles décilitres d'eau dans la casserole

Quand l'eau est attiédie on ajoute le beurre, après sa fonte, délayez à mesure la farine, après quoi le gruyère : puis tournez 6 minutes sur feu vif. Faites cuire la pâte 6 minutes sur le fourneau en tournant toujours dans la casserole avec une cuillère de bois.

On la retire et la laisse refroidir à moitié.

On ajoute 3 œufs entiers qu'on délaye les uns après les autres. Un peu de sel.

Graissez légèrement les ramequins avec du beurre puis verser la pâte (à peu près remplis à moitié). Au four, 1/4 d'heure environ.

Recette de Nounou
Manuscrit d'Aurore Sand

La galette aux pommes de terre sortie du four. *Nous avons* [mon fils et moi] *des habitudes de gaieté, peu bruyante mais assez soutenue, qui rapprochent nos âges et, quand nous avons bien travaillé toute la semaine, nous nous donnons pour grande récréation d'aller manger une galette sur l'herbe, à quelque distance de chez nous, dans un bois ou dans quelque ruine, avec mon frère, qui est un gros paysan plein d'esprit et de bonté, qui dîne tous les jours de la vie avec nous.*
G. S. à Poncy. 1845.

Œufs Pochés à la Norberts

Pour 4 personnes : un verre de bon jus coloré, 2 cuillerées à café de farine, 30 à 35 grammes de bon beurre et la moitié du jus d'un citron, une bonne cuillerée de cerfeuil haché.

Commencez par pocher vos œufs un ou deux par personne, mais en les tenant le plus mollet possible. Mettez ensuite votre jus sur le feu sans laisser bouillir et retirez un peu pour bien manier beurre et farine pour ajouter par petits morceaux à votre jus en le travaillant vivement jusqu'à ce que le tout soit bien lié, ajoutez ensuite le jus de citron et finissez en ajoutant le cerfeuil.

Versez votre sauce sur votre plat, mettez vos œufs dessus avec beaucoup de précaution et surtout égouttez bien les œufs. Plat très facile à faire et de très bon goût mais deux choses sont à observer :
1° : ne pas laisser bouillir la sauce ;
2° : servir le plus chaud possible.

On peut le faire au maigre en mettant de l'eau au lieu de jus mais cela demande plus de temps. Mettez dans une casserole 3 verres d'eau, du sel, du persil, 2 échalotes non épluchées, un peu d'ail, thym et laurier, faites bouillir pour que l'eau soit réduite à

1 verre, passez, ajoutez 60 grammes de beurre au lieu de 30, mais pas plus de farine et tout le jus du citron et une cuillerée et demie de cerfeuil ; servez de suite.

Recette de Lina Sand

Galette aux Pommes de Terre et au Fromage Blanc

(Berry)

«Entrée délicieuse, à manger chaud»

Environ une livre de farine sur la planche : un trou pour y délayer un œuf, blanc et jaune, et un peu de sel, et délayer la farine à l'eau froide. Travaillez bien la pâte à seule fin qu'elle soit bien lisse.

Vous la laissez reposer 2 heures ; quand elle est reposée, l'étaler bien, et assez mince.

Mettez un bon quart de beurre frais sur toute la pâte avec la main, puis ployez la pâte au moins cinq fois. Vous avez mis cuire à l'eau 7 ou 8 pommes de terre que vous aviez pelées et passées en purée au tamis ou à la passoire, on les mêle dans une terrine à une bonne assiettée à soupe de fromage blanc bien égoutté.

Ajoutez un peu de sel et un peu de poivre, et étendez ce mélange sur la pâte qui est préparée et bien étendue elle-même. Ne couvrez que la moitié de la pâte et recouvrez cette moitié garnie de pommes de terre et de fromage avec l'autre moitié de la pâte.

Mettez alors au four chaud, après avoir doré d'un œuf la galette. Environ 1/2 heure de cuisson.

Même recette pour la galette au fromage blanc sans pommes de terre.

Recette d'Aurore Sand

La galette aux pommes de terre est un mets traditionnel de la cuisine du terroir de la région centre (Sologne, Berry). On peut d'ailleurs encore en manger au marché de Romorantin, si l'on a un petit creux en faisant ses courses, ou la déguster, réchauffée, en entrée.
Le fromage blanc dans la cuisine paysanne remplaçait souvent la crème fraîche.

Pain Mousseline aux Tomates

Mélanger sur le feu doux 70 grammes de beurre frais et 40 grammes de farine.
Ajouter 2 décilitres de lait chaud, cuire le mélange en l'agitant constamment avec une cuillère à pot,

L'ancêtre de nos mousses de tomates actuelles.

Nounou. *Elle est de la race antique des vieux serviteurs. Fidèle, dévouée, sobre... cuisinière consommée.*
Aurore Sand. Souvenirs de Nohant.

jusqu'à ce que la masse se détache de la cuillère.

Retirer la casserole du feu, ajouter sel et poivre, 4 cuillerées de sauce tomate et 4 jaunes d'œufs.

Bien travailler ce mélange, y ajouter le blanc d'œuf battu en neige ferme.

Graisser un moule à pudding, y verser la masse et cuire pendant 3/4 d'heure au bain-marie et dans le four.

Avoir soin qu'il y ait toujours de l'eau. Couvrir le pain d'un papier pendant la cuisson.

Démouler, verser une sauce tomate autour et servir.

Recette de Solange Clésinger

Soufflé au Pâté de Volaille

ou « *Délicat* »

« Très bon et fin »

Prenez 3 foies de poulet, les nettoyer, les hacher bien fin et passer au tamis.

Vous avez mis dans une casserole 1/2 litre de dessus de lait, gros comme un jaune d'œuf de beurre, un peu de sel, gros comme le poing de mie de pain rassis que vous faites mijoter pendant 1/2 heure, puis passez au tamis, et mélangez avec les foies passés aussi ; ajoutez 3 jaunes d'œufs, battez les 3 blancs en neige et ajoutez à la farce sel et poivre.

Graissez un moule de farine unie (bien graisser, le fond colle presque toujours), mettez le mélange.

Cuisson 3 heures au bain-marie. (Démoulez 10 minutes après la sortie du bain.)

Sauce : pour mettre avec la pâte :

Un morceau de beurre dans la casserole, une fois fondu, 1 cuillerée de farine, ajouter 1/4 de litre de lait déjà tiède (toujours tourner et mettre le lait petit à petit, quand la sauce est prise et faite, au moment de verser sur le soufflé, une goutte de cognac, une cuillerée à café à peu près).

(Se fait avec du poisson ou autre viande.)

Recette de Nounou
Manuscrit d'Aurore Sand

Rissoles

(Nohant)

« Très bon »

Pâte pour 12 rissoles :
4 cuillerées très pleines de farine
1 pincée de sel fin
1 cuillerée à café 1/2 de sucre en poudre
2 noix de beurre frais
1 œuf frais entier

Maniez le tout dans la farine sur la planche, 3 cuillerées de farine en plus pour rendre le mélange assez ferme.

Maniez la pâte sans la plier, l'étendre pour y poser la viande hachée, déjà cuite et assaisonnée. En former des petits coussins.

Coupez au coupe-pâte ou roulette.

Jetez ces rissoles dans l'huile à frire très chaude, les y faire dorer, servir chaud.

Recette d'Aurore Sand

La tradition des rissoles (pâte farcie le plus souvent frite) remonte au moins au Moyen Âge. *Le Viandier* (1380) signale des « roysolles à la moelle » et *Le Ménagier de Paris* (1392) précise qu'à la cour des seigneurs « comme Monseigneur de Berry, quant l'en y tue un beuf, de la mouelle l'en fait rissolles ».

Pissaladiera

Pâte : 10 cuillerées à soupe de farine
110 grammes de beurre
1 noix de saindoux (forte noix)
6 cuillerées à soupe d'eau bouillante
un peu de sel
Étendre 3 fois après avoir légèrement travaillé la pâte
1 livre 1/2 d'oignons.

Mettre dans la poêle 8 cuillerées d'huile d'olive. Quand elle est chaude y jeter les oignons coupés en lamelles minces. Vers la fin de la cuisson (environ 10 minutes) y ajouter 1 hecto d'olives noires et 1 hecto d'anchois en purée. (Pissalat.)

Faire chauffer la pâte préparée dans le moule, puis y verser le mélange d'oignons. Mettre la tarte au four à cuire pendant 20 minutes.

Recette d'Aurore Sand

Sarmali

Mets roumain

Un mets vraiment exotique, inconnu de tous les grands traités gastronomiques du XIXe siècle.

On choisit de jeunes feuilles de vignes extrêmement tendres ; on prépare un hachis avec de la viande de bœuf et de porc, ou volaille, en y ajoutant de l'oignon, une poignée de riz, des épices, un œuf entier. Quand le mélange est bien fait, on place ce hachis par cuillerées sur chaque feuille de vigne ; on roule celle-ci, on fait cuire les sarmali, ainsi préparées dans de l'eau salée ; on prépare un roux avec du beurre, une très petite quantité de farine ou de fécule de pommes de terre, on y ajoute du bouillon, un demi-verre de crème aigre, on laisse cuire le tout. On sert ce plat chaud.

Recette d'Aurore Sand

Quiche Lorraine

« Très nourrissante »

« Fraiser » ou « fraser » : briser la pâte de la paume de la main. C'est un terme très ancien de technique culinaire qui remonte à la fin du XIIe siècle et s'appliquait originellement aux fèves. « Faba fresa », « fèves fraisées » du latin « frendere », « broyer, moudre ».

Tarte contenant une crème dans laquelle sont noyés du lard gras et du jambon. Pâte brisée : 200 grammes de farine, 100 grammes de beurre, fraisez sur la planche en ajoutant une pincée de sel et un peu d'eau en quantité suffisante pour faire une pâte facile à abaisser sans coller aux doigts. Laissez reposer une heure. Foncez une tourtière beurrée avec une abaisse de cette pâte ayant environ 6 millimètres d'épaisseur. Préparez l'appareil de la quiche.

125 grammes de lard maigre
80 grammes de jambon
50 grammes de beurre
600 grammes de crème épaisse
sel

Coupez le lard en petits cubes, blanchissez-les à l'eau bouillante pendant 10 minutes. Réservez.

Coupez le jambon en petits morceaux. Dans un saladier mélangez la crème et les œufs, ajoutez le lard, le jambon, le beurre divisé en petites noisettes.

Salez peu.

Remplissez la tourtière foncée.

Portez au feu une demi-heure. Servez chaud.

Recette d'Aurore Sand

Charcuterie

Confits d'Oies

Prendre l'oie ou le canard, les fendre des deux côtés de l'aileron sous le ventre et enlever cuisses et ailes tout ensemble comme un manteau, et ne laisser que la carcasse toute nue ; et puis vous séparez les quartiers, vous les mettez sur un linge avec du sel et vous lui laissez prendre tout le sel qu'il voudra, et vous mettrez ensuite les morceaux dans un plat en observant bien de mettre la peau dessous, pendant deux jours.

Le terme technique exact qui désigne cette partie appelée ici manteau est le « paletot ». Pour une bonne progression de cette recette, le cou doit être coupé en premier et placé avec les autres morceaux à confire tandis que le foie, réservé, se confit à part car il nécessite moins de temps de cuisson.

Sitôt après avoir dépecé l'oie ou le canard, vous enlèverez la graisse du ventre et vous la ferez fondre et deux jours après vous mettez cette graisse avec les morceaux de confits dans une chaudière tout ensemble et les faire cuire avec un feu bien tempéré.

Pour connaître le degré de cuisson, vous prendrez une aiguille à tricoter et vous percerez les quartiers près des os et lorsque le jus qui sortira sera blanc alors il sera assez cuit, vous couperez le cou le premier, un pouce au-dessus des ailes, vous sortirez le foie et le mettrez dans un plat d'eau fraîche.

Lorsque le confit sera cuit, vous le mettrez dans des pots bien couverts avec la graisse, ne pas trop serrer le confit dans le pot et faire bien attention de bien couvrir avec la graisse, sans cela le confit se gâterait.

Recette de Pankowsky
Manuscrit de Lina Sand

Pâté de Foie Gras

On opère indistinctement avec un foie d'oie grasse ou deux foies de canard ou jeunes dindes grasses. Composer une farce avec de la panne de porc et un poids égal de foie de veau bien blanc.

Selon la méthode traditionnelle strasbourgeoise.

À la panne coupée en dés et fondue à feu doux, incorporer le foie de veau bien épluché et coupé en dés, assaisonner de poivre et d'épices, poser le tout sur un feu vif et l'y maintenir 3 ou 4 minutes au plus en agitant constamment la casserole, laisser refroidir puis piler et passer le tout à travers une passoire à trous moyens.

La farce ainsi faite, en étaler une partie dans le fond d'une terrine, coucher les foies sur cette farce et les assaisonner. Remplir de farce les vides, étendre sur le tout une fine barde de lard et dessus une ou deux feuilles de laurier.

La terrine ainsi préparée sera mise à cuire au bain-marie en veillant à ce que l'eau n'entre pas pendant l'ébullition. La cuisson s'obtient vite, on s'en assure en enfonçant une aiguille à barder dans les foies.

Quant au parfum, une truffe moyenne coupée en tranches, mêlée à la farce. À défaut on y substitue des échalotes.

Recette de Lina Sand

Terrine de Foie Gras

Recette qui suit la méthode traditionnelle strasbourgeoise.

Choisir deux beaux foies des Pyrénées, enlever le cordon près du fiel.
Les mettre dans une terrine avec une grosse poignée de sel et verser dessus de l'eau tiède ; les y laisser pendant 4 heures.

Puis les bien essuyer ensuite dans un torchon.

Prenez deux bardes de lard de la grandeur de la terrine ; placez l'une au fond.

Munissez-vous de 3/4 de farce de veau truffée de truffes en quantité suffisante dont vous hachez la pelure que vous ajoutez à la farce.

Coupez les truffes en rondelles et trempez les foies dans un verre de madère vieux ou de très bon cognac. Laissez-les bien s'imbiber puis coupez-les s'il le faut pour les ranger dans la terrine que vous aurez garnie de farce sur la barde.

Placez des truffes et de la farce dans les interstices en tassant bien puis mettez farce et seconde barde et par-dessus tout versez le liquide qui reste du trempage des foies.

Laissez alors la terrine ainsi préparée pendant 24 heures.

Le lendemain vous la placez dans un plateau plein d'eau et vous mettrez au four doux afin que le dessus ne brûle pas, n'étant pas au bain-marie, s'il cuisait trop, mettez la terrine sur le fourneau pour activer la cuisson du dessous et tempérer l'autre (cuisson assez

difficile). Au moins 2 heures de cuisson sont nécessaires : après quoi on couvre de bon saindoux.

Recette d'Aurore Sand

PÂTÉ DE MÉNAGE

« Très bon »

Ayez une terrine en terre vernissée, ronde ou ovale, avec couvercle à petite ouverture ; prenez un morceau de rouelle de veau pesant 750 grammes, — même quantité de viande de porc frais et maigre —, 250 grammes de lard frais que l'on aura fait reposer dans le sel pendant vingt-quatre heures ; hachez menu (comme chair à pâté) les morceaux de viande, mettez-les dans une terrine avec un œuf cru, blanc et jaune, un morceau de mie de pain trempé dans du bouillon pendant une heure et retiré sans être égoutté, une pointe d'ail, si l'on aime, autant de sel que pour un pot-au-feu, deux pincées de poivre.

Pâté. *Mon garde champêtre, qui est mon fournisseur et mon pourvoyeur, qui de plus est ancien voltigeur et bel esprit, a fait ce matin, ma chère maman, une assez belle chasse. Je fais mettre dès demain ma cuisinière à l'œuvre et quoiqu'elle ait beaucoup moins de génie que le garde champêtre, j'espère qu'elle en aura assez pour confectionner un bon pâté que je vous enverrai pour vos étrennes dès qu'il sera refroidi. Mon ami Caron à qui j'adresse un envoi de même genre, vous fera passer ce qui vous revient.*
G. S. à Maurice Dupin. 1828.

A gauche : préparation de la terrine (voir recette page suivante).

Pâté. *Je veux vous faire un pâté de gibier, mais comme vous savez qu'il n'en pleut pas dans nos champs je ne puis répondre du bonheur de mon garde-champêtre.*
G. S. à Louis-Nicolas Caron. 1828.

Pâté. *Je mets à la diligence aujourd'hui, ma chère maman une caisse contenant un pâté de lièvre et de perdrix. Je suis bien fâché de vous en faire payer le port mais je n'ai aucun moyen de vous l'envoyer autrement. Stéphane que je voulais en charger passe par Tours et Vendôme et y séjourne quelque temps, de sorte que le pâté se gâterait en route à moins que le porteur n'y mît bon ordre, ce qu'il serait bien capable de faire.*
G. S. à Mme Maurice Dupin. 1828.

Pâté. *Casimir a été assez heureux à la chasse, demain ma cuisinière se met à l'ouvrage et mardi ou mercredi prochain votre pâté sera en route.*
G. S. à Louis-Nicolas Caron. 1828.

On bat ce mélange pour en former une pâte homogène ; on coupe le lard par petites languettes ; on place la couenne de lard au fond de la terrine destinée à contenir ce pâté ; on y met quatre ou cinq petits morceaux de beurre frais, puis une couche de viande, sur laquelle on range quelques morceaux de lard dans un sens déterminé, et dont on doit tenir compte, afin de ranger les autres morceaux de lard dans le même sens, — une couche de viande —, les morceaux de lard placés comme les précédents —, ainsi de suite jusqu'à ce que la terrine soit remplie.

Sur la dernière couche on place un morceau de lard, quelques petits morceaux de beurre, — un demi-verre de bouillon, — une feuille de laurier —, une petite branche de thym, piquée dans le pâté. Bouchez hermétiquement à l'aide d'une bande de papier collée sur le bord du couvercle et de la terrine avec une pâte faite de farine et de vinaigre ; faites cuire au four à feu doux pendant deux heures au moins.

Ce pâté se conserve pendant huit jours. On peut diminuer les doses et prendre une terrine plus petite.

Recette d'Aurore Sand

Recette d'une Terrine de Lièvre de trois à quatre livres

Prendre un lièvre jeune, l'écorcher et le désosser, aplatir les morceaux, verser dessus 3 ou 4 cuillerées de cognac, du sel, du poivre et de la muscade.

Gratter ce qui reste après les os, l'ajouter à une demi-livre de porc frais, un quart de lard gras et la moitié d'un poulet ; hacher le tout et piler ensuite jusqu'à ce que cela ne forme plus qu'une pâte.

Éplucher de 6 à 8 belles truffes en leur donnant une forme ovale et mettre les épluchures dans la farce, y ajouter une tasse de bouillon, du sel et du poivre et piler encore le tout.

Foncer et garnir une terrine ovale avec du lard non salé, mettre d'abord dedans une couche de ce que l'on vient de piler puis un morceau du lièvre que vous avez déjà préparé, répéter encore une fois la même opération et placer ensuite vos truffes en long, les recouvrir des deux mêmes couches déjà employées en ayant soin que ce soit une couche de farce qui recouvre le tout, étendre une barde de lard par-dessus

À droite : la recette de la terrine de lièvre a été préparée dans le moule à terrine de Nohant (musée de Gargilesse).

et poser le couvercle en ayant soin de fermer hermétiquement avec de la pâte de farine.

Mettre dans un plat long qui va au four la contenance de 2 ou 3 verres d'eau et placer la terrine dedans ; veiller à ce que l'eau bouille tout le temps.

Deux heures suffisent pour la cuisson. Mettre dans une casserole les os du lièvre, du poulet, un oignon, 2 carottes, un bouquet garni, faire cuire au moins quatre heures ; clarifier le jus et le verser sur la terrine quand celle-ci est cuite et un peu refroidie.

LEBER KLOESE

(Quenelles de foie) *Plat alsacien*

« Très bon »

Hachez fin un foie de veau après en avoir enlevé la peau et les nerfs.
On y ajoute 1/4 de graisse de rognon hachée très fin, ainsi que du persil et un oignon toujours haché, sel, poivre, deux petits pains trempés dans du lait, 4 cuillerées de farine, 2 de semoule et à la fin 4 œufs.

On mêle bien toute cette masse et on en prend avec une cuillère, on jette le contenu à l'eau bouillante et salée, ainsi de toute la pâte. Puis on verse dessus du beurre fondu dans lequel on a fait frire de la mie de pain égrenée.

Recette d'Aurore Sand

JAMBON RÔTI

Excellente recette, très appétissante, car le jambon ainsi cuit reste très moelleux et conserve toute sa saveur. Nous conseillons de remplacer la sauce piquante par le jus du rôti du jambon pour rester dans des notes de goût plus naturelles.

Faites dessaler un jambon pendant trois jours en changeant l'eau sept ou huit fois par jour ; ensuite faites cuire le jambon dans de l'eau pendant deux heures ; retirez-le, enlevez la couenne, dépouillez entièrement le jambon, mettez-le à la broche ; faites-le rôtir pendant deux heures, en l'arrosant avec du vinaigre et du bouillon mélangés ; tout en arrosant le jambon, saupoudrez-le de chapelure jusqu'à ce qu'il soit couvert ; cette chapelure forme une sorte de croûte dorée.

Servez chaud avec une sauce piquante, telle que celle du rôti de chevreuil.

Recette d'Aurore Sand

Beurre Blanc Nantais

Les riverains de chaque fleuve ont leur procédé de prédilection d'apprêt du poisson qu'il nourrit : pour les Parisiens, c'est la friture et la matelote d'anguilles ; pour les Lyonnais, c'est la meurette ; pour les Rouennais, c'est l'éperlan à la quilleboise ; pour les Nantais, c'est le beurre blanc.

Certains traiteurs des bords de la Loire ont une renommée spéciale pour la préparation du beurre blanc qui leur attire une clientèle nombreuse de gourmets du pays que ce mets délecte.

Il est facile d'en essayer. Prenez un beau poisson, brochet, barbillon ou carpe. Après l'avoir vidé et ébarbé, faites-le cuire trois quarts d'heure dans un court-bouillon de vin blanc, avec bouquet garni, une gousse d'ail, quelques tranches d'oignons et carottes, du sel et poivre en grains.

D'autre part, faites réduire sur le feu un demi-verre de bon vinaigre blanc salé dans lequel macèrent une demi-douzaine d'échalotes grossièrement hachées, passez cette réduction, et versez-la goutte à goutte, en remuant sans cesse, dans une casserole contenant une demi-livre de très bon beurre fin coupé en petits morceaux, au-dessus d'un feu très doux. Le beurre fond peu à peu en se mélangeant intimement avec le vinaigre chaud, et on obtient une sorte de crème onctueuse et appétissante qu'on tient tiède au bain-marie ou sur le coin du fourneau.

Enfin on sort le poisson du court-bouillon, on enlève sa peau et on le sert, masqué de la crème versée dessus, avec des assiettes pas trop chaudes.

La recette, comme on voit, n'est pas très compliquée, et le résultat qu'elle donne est assez délicat pour qu'elle mérite d'être propagée.

Recette du docteur Oks

Éternelle querelle du beurre blanc avec ou sans échalotes ! Le docteur Oks a choisi son camp...

Saumons... *La Creuse n'est pas loin. Je m'y en vas donner un coup d'épervier, et, si je ne vous rapporte pas une belle truite, à tout le moins je trouverai bien une belle friture de tacons. Or le tacon est le saumon en bas âge, les saumons de mer, remontent la Loire, viennent frayer dans les eaux vives de la Creuse, et ce n'est pas là un mets à dédaigner.*
G. S. Promenades autour d'un village.

L'alose qui, tout comme le saumon, remonte nos rivières au printemps pour frayer en eau douce, est depuis fort longtemps appréciée dans nos régions pour sa chair délicate (son nom vient en effet du latin « alausa » lui-même emprunté au gaulois).
Plus près de nous, Grimod de La Reynière, le célèbre gastronome du début du XIXe siècle, l'avait baptisée « noisette aquatique ».

Il est préférable de ne pas faire bouillir une chair de poisson car elle se déchire facilement. Nous conseillons plutôt de la pocher dans un court-bouillon frémissant pendant quelques minutes seulement.

ALOSE

Assaisonnez l'alose avec sel, poivre, et frottez d'huile d'olive ; faites-la cuire sur le gril qui doit être chaud avant d'y mettre le poisson, sans quoi il s'y attache. Faites un bon court-bouillon avec thym, laurier, oignon, sel, clou de girofle, persil, vin blanc, un peu d'eau, laissez bouillir une demi-heure.

Mettez dans une casserole un morceau de beurre frais, ajoutez persil haché et échalotes hachées, faites tiédir (mais pas trop chauffer), ajoutez de la farine selon la quantité de sauce que vous voulez, mouillez avec le court-bouillon, lequel aura été passé au tamis.

Faites cuire dans cette sauce des morilles fraîches, liez la sauce avec 2 jaunes d'œufs, un peu de beurre frais, un jus de citron et un anchois haché, passez au tamis si l'on veut et servez.

Recette d'Aurore Sand

CUISSON DE DIFFÉRENTS POISSONS

Pour 10 personnes.

Saumon - truite au bleu - brochet. Mettez dans une poissonnière de la grandeur de votre poisson 2 litres de vin blanc, un bon verre de vinaigre, carotte, oignons émincés, thym, laurier, clou de girofle et persil, le double d'eau, faites bouillir le tout 5 minutes puis mettez votre poisson, laissez bouillir 10 minutes et laissez sur le coin du feu sans bouillir encore un quart d'heure, égouttez et servez.

Un poisson qui ne doit rester que le temps indiqué dans sa cuisson doit être fortement salé.

Le turbot - la barbue - le bar et le cabillot se cuisent simplement à l'eau de sel.

Vous mettez ces poissons à l'eau froide sur le feu et lorsqu'ils bouillent, vous les mettez de côté pour qu'ils finissent de cuire suivant leur grosseur.

Recette de Lina Sand

Poissons à la Persane

Ci-dessus : posé sur cette alose, un brin de pimprenelle, herbe aromatique peu utilisée de nos jours mais courante à l'époque de George Sand (voir recette du Beurre de Montpellier p. 82).

Videz des petits maquereaux ou tout autres bons poissons de mer fermes et de bon goût. Préparez une farce faite avec : biscottes trempées dans du lait tiède, jambon d'York haché fin, raisins de Smyrne et de Corinthe épépinés et bien nettoyés, une poignée d'amandes douces émondées et râpées très fin, un peu de sel s'il faut.

Mêlez bien, incorporez à cette farce un jaune d'œuf pour la lier ou une béchamel épaisse. Si le poisson est creux, bourrez-le de cette farce, en mettant le plus possible et garnissez le tour du poisson de la même farce pour qu'il baigne dedans ; si le poisson peut se défaire et préparer en filets, mettez-le entre 2 couches de farce. Lorsqu'il est ainsi préparé, entourez-le de petites figues tendres et bien conservées rondes et arrosez le tout de beurre et d'huile d'olive fine, en égale quantité, en ayant soin d'arroser pendant la cuisson pour que le poisson ne dessèche pas et reste moelleux.

Si l'on voyait qu'il prend trop vite par en haut, le cuire sur le fourneau. On peut garnir le plat de pignons, un peu avant de servir. Se sert dans le plat qui a servi à la cuisson.

Recette d'Aurore Sand

Poissons farcis à l'aigre-doux. La Perse défraie la chronique à plusieurs reprises durant le XIXe siècle. À partir de 1860, le Chah viendra de nombreuses fois à Paris pour consolider l'alliance de son pays avec la France.

Aurore Sand.

Brandade de Morue

«Très bon»

Préparez une béchamel très épaisse en employant l'huile d'olive au lieu de beurre. Mélangez-la avec une gousse d'ail râpée et un volume égal de morue préalablement dessalée (12 heures) bouillie et désagrégée en petits morceaux menus.

Amalgamez sur le feu le poisson et le sauce. Passez au mortier, plus ce sera moulu, pilé, meilleure sera la brandade. Celle-ci doit être très épaisse.

Avant de servir, ajoutez de la crème épaisse et maniez le tout ensemble.

Recette d'Aurore Sand

Hareng à la Jungblat

Dessaler les harengs saurs dans du lait, les sécher, ôter la peau et couper la chair en filets longs. Prendre la laitance comme jaune d'œuf et faire une mayonnaise avec.

Bouillir les filets de harengs avec cette sauce et mettre feuille de laurier et clous de girofle. Couvrir avec un citron en tranches fines. Laisser ainsi 3 ou 4 jours.

Recette d'Aurore Sand

Moules Provençales

(Sables d'Olonne)

Faites ouvrir les moules avec un filet de vinaigre, enlevez une valve.
Hachez des échalotes fines. Passez-les à la poêle jusqu'à cuisson. Jetez les moules dans ces échalotes, faites-les-y sauter 3 minutes sur feu vif. Ajoutez-y de la mie de pain égrenée, saupoudrez les moules avec, cinq minutes avant de servir, avec une cuillerée d'huile, des fines herbes et un peu d'ail, sel et poivre.

Recette d'Aurore Sand

Recette pour faire des Poissons à la Chambord

Prendre une belle carpe, l'écailler puis la vider, puis une seconde dont vous aurez bien soin d'enlever toutes les arêtes, ensuite la piler dans un mortier avec un peu de mie de pain passée dans un tamis, mettre une cuillerée de crème, du sel, du poivre, aromate à son goût, puis faire des quenelles, ensuite prendre deux jaunes d'œufs mis dans un peu de mie de pain passée au tamis, crème, un bon morceau de beurre frais, mettre le tout dans une casserole sur le feu et tourner jusqu'à ce que ce soit bien épais, puis mettre tout cela dans la première carpe, la ficeler et la piquer de lard, ensuite la mettre sur un plat long avec du beurre, puis faire à part dans une casserole une sauce espagnole, y ajouter vos quenelles, champignons, truffes, pruneaux et madère (un quart de verre).

La carpe à la Chambord dans sa version classique du XVIIIe siècle symbolise le plat baroque par excellence. Toutes les denrées les plus rares (pigeons, ris de veau, foie gras, truffes, noix de veau glacées, crêtes et rognons de coq, laitances de carpe) se mêlent dans ce plat délirant qui nécessite d'autre part toutes les connaissances techniques et la dextérité du maître queux pour le réaliser (la carpe doit être piquée de lard, farcie, braisée entière au vin rouge, décorée d'écailles reconstituées, glacée, accompagnée de quenelles diverses). Et même si Carême en 1847 en propose une version « modernisée », sans « rien de gras », tout en poissons divers, crustacés, champignons et truffes, la Carpe à la Chambord reste un des plats les plus ostentatoires de toute l'histoire de la cuisine française. La recette de Nohant fait un peu figure de parent pauvre après la luxuriance de détails que nous venons d'énoncer. Néanmoins elle en garde l'esprit ; mais précisons qu'elle se doit d'être braisée au vin rouge.
Note : la sauce espagnole est un fond brun tomaté enrichi d'une garniture aromatique et lié au roux.

Carpe Alsacienne

« Se méfier du court-bouillon qui ne se fige pas »

Préparez un court-bouillon coloré avec un peu de caramel. Faites-y cuire la carpe. Sortez-la du bouillon une fois cuite et posez-la sur un plat.

Ensuite faites réduire le court-bouillon. Lorsque son volume a atteint un demi-litre, passez-le sur un linge et versez sur la carpe. Quelques heures après, le poisson est orné d'une gelée consistante.

Servez avec une sauce vinaigrette.

Recette d'Aurore Sand

Notre vieille carpe des étangs est en fait un poisson importé ! Aucun texte européen n'en fait mention avant le XIIe siècle et les investigations historiques actuelles tendent à penser que ce sont les croisés qui l'auraient rapportée d'Orient.
Nous avons affaire ici à une préparation très naturelle, un peu aigre-douce, dans la tradition des apprêts d'Europe centrale ou de Chine.

Filets de Sole

Prenez une certaine quantité de filets de sole, hachez finement quelques truffes, ainsi que les bas morceaux qui seront restés des soles après que l'on en a enlevé les filets ; mettez ce hachis sur chaque filet, roulez soigneusement celui-ci.

Faites cuire les filets de sole ainsi rangés, à petit feu, pendant un quart d'heure dans du bon beurre ; préparez une sauce blanche avec des champignons ; ayez un plat de porcelaine pouvant aller sur le feu, placez-y les filets de sole, puis la sauce blanche ; faites cuire pendant deux minutes, servez.

Cahier d'Aurore Sand

Homards à l'Américaine

L'invention du homard à l'américaine fut l'objet d'une interminable controverse : Prosper Montagné voyait dans l'expression « à l'américaine » une déformation de « à l'armoricaine », d'autres soutenaient une origine parisienne ou provençale. Quoi qu'il en soit, la seule chose que l'on puisse assurer, c'est que cette recette n'est attestée dans les traités culinaires que depuis le siècle dernier mais qu'elle représente encore aujourd'hui, dans l'« inconscient gustatif », une certaine harmonie idéale des saveurs.

Prenez des homards vivants si possible, lavez-les bien, coupez-les par tronçons, broyez les pattes. Mettez dans une casserole de cuivre : huile d'olive, un gros morceau de beurre, faites chauffer, mettez dedans les morceaux de homards ; quand ils sont rouges, ajoutez sel blanc, 4 échalotes hachées très fin, une pincée de persil haché, un petit bol de sauce tomate, retournez vos morceaux. Ajoutez deux verres de vin blanc, un verre à Bordeaux d'eau-de-vie, faites partir à grand feu, mettez 4 grains de piment bien écrasés, jamais de poivre.

Dressez vos homards sur un plat bien chaud, remettez votre casserole sur un feu bien vif, ajoutez gros comme un œuf de beurre, elle épaissira tout de suite, puis versez sur vos morceaux dressés.

Ce plat doit être fait à feu très vif.

À défaut de piment, un peu de poivre de Cayenne.

On peut encore le faire différemment en faisant d'abord sa sauce bien cuite, y mettre ensuite cuire les homards, puis la sauce tomate. Dans ce cas pour épaissir la sauce, on ajoute un léger roux, quelques personnes mettent un peu de safran.

Recette de l'hôtel la « Maison D'Or »
Manuscrit de Lina Sand

ÉCREVISSES EXCELLENTES

Lavez vos écrevisses à plusieurs eaux après les avoir vidées. Mettez cuire du vin blanc un peu fort (pas doux) avec un peu de vinaigre et un peu d'eau avec un fort oignon piqué de 3 clous de girofle, des carottes, de l'ail, de l'estragon, du cerfeuil, du thym, du laurier, pas mal de poivre cassé fraîchement, du sel.

Laissez cuire 20 minutes ce court-bouillon, jetez-y vos écrevisses, remuez-les tout en laissant couvert, quand elles seront rouges, sortez et égouttez. Servez-les encore chaudes.

Recette du Maître d'hôtel « À ma Campagne » à Royat
Manuscrit de Lina Sand

Déjeuner au bord de la Creuse. *Une friture de barbillons sortant de l'eau, rissolés dans l'huile et servis brûlants, c'est un excellent mets. Les poulets froids, les œufs mollets, les artichauts crus, la galette, les guignes et le café, voilà, j'espère, un festin royal ! La salle à manger est si belle et l'appétit si ouvert !*
Nous déjeunons d'une omelette aux écrevisses dont Manceau s'indigère scandaleusement. Recette de ladite omelette : faites cuire les écrevisses à l'eau sans assaisonnement ; épluchez-les, mettez-les cuire dans le beurre et glissez-les toutes chaudes dans l'omelette aux trois quarts faite. C'est un manger digne des plus grands gourmets.
G. S. Journal de Gargilesse. 1858.

Pour simplifier la sauce, laissez réduire le braisage des soles, ajoutez la crème fraîche et laissez-la s'épaissir par réduction. Ajouter les jaunes d'œufs en dehors du feu, puis la garniture. Ne plus faire bouillir ensuite.
Il est préférable également de ne pas bouillir les coquillages qui se racorniraient.

Sole Normande

Pour 6 personnes.

Prenez une sole bien fraîche, videz-la et enlevez la peau, faites une incision de chaque côté de l'arête ; placez la sole dans un plat qui va au four. Mettez 50 grammes de beurre dessus et un verre de vin blanc, faites cuire 20 minutes dans le four.

Versez dans une casserole un demi-verre ordinaire de vinaigre et une cuillerée à café de mignonnette, laissez réduire le tout à une cuillerée, laissez refroidir, ajoutez alors 2 jaunes d'œufs, plus une cuillerée de beurre fondu au bain-marie et puis une cuillerée de la sauce qui a servi à cuire la sole.

Tournez le tout sur le feu et répétez la même opération jusqu'à ce que vous ayez épuisé une demi-livre de beurre fondu. Préparez 25 moules et autant d'huîtres, faites cuire une demi-livre de champignons dans du beurre avec un demi-citron, joignez les moules et les huîtres aux champignons cuits et faites bouillir le tout, garnissez ensuite votre sole avec. Versez une sauce hollandaise par-dessus.

On peut encore ajouter comme garniture, des croûtons, des goujons frits, des écrevisses, des quenelles, etc. Servez très chaud.

Recette de Marie Caillaud
Manuscrit de Lina Sand

Marie Caillaud, cuisinière et premier rôle au théâtre. *Dans mes soirées d'hiver, j'ai entrepris l'éducation de la petite Marie, celle qui jouait la comédie avec nous. De laveuse de vaisselle qu'elle était, je l'ai élevée d'emblée à la dignité de femme de charge que sa bonne cervelle la rend propre à remplir. Mais un grand obstacle c'était de ne pas savoir lire. Ce grand obstacle n'existe plus. En trente leçons, d'une demi-heure pour chacune… elle a su lentement, mais parfaitement toutes les difficultés de la langue.*
G. S. à Charles Duvernet. 1858.

Canard à la Bruxelles

Après avoir vidé et flambé votre canard, remplir le corps avec un salpicon fait de la manière suivante : coupez en dés du ris de veau avec du petit lard bien entrelardé, maniez ensemble du persil, de la ciboule, des champignons, 2 échalotes, le tout bien haché, un peu de sel, du gros poivre, coudre le canard pour que rien ne sorte et le mettre à cuire à la casserole avec une barde de lard sur l'estomac, un verre de vin blanc, autant de bouillon.

Ajouter deux oignons, une carotte, la moitié d'un panais et un bouquet garni, quand il est cuit, passez la sauce au tamis, la dégraisser, la lier et la laisser réduire, servir la sauce sur le canard.

Ci-dessus : derrière les fourneaux, à côté de la fontaine, le four à pain qui était utilisé tous les jours.

Farce de Volaille

Prenez les filets d'un poulet que vous pilez très fin, ajoutez ensuite une franchipane refroidie que vous faites ainsi : mettez dans une casserole un œuf et un jaune d'œuf, travaillez avec une cuillère de farine, mouillez avec un verre de lait et faites cuire à grand feu en remuant vivement que ce soit bien lisse, laissez refroidir et ajoutez dans vos filets de volaille bien pilés et le 1/4 de son volume de beurre.

Mélangez le tout ensemble et ajoutez un jaune et un œuf entier, assaisonnez de sel et muscade, passez au tamis, faites pocher cette farce au bouillon bouillant et ensuite coupez en petits dés que vous ajoutez dans votre garniture, servez très chaud.

Recette de Magny
Manuscrit de Lina Sand

Franchipane pour frangipane.
Cette frangipane ressemble à une pâte à choux et alourdit considérablement le mélange. Nous conseillons de composer cette farce de volaille avec les filets de poulet, les œufs et un verre de crème fraîche.

Envoie-moi la recette des pieds de veau.
G. S. à Gabriel Planet. 1849.

Vin de Bordeaux. *Merci pour le vin qui est délicieux. Ayez l'œil sur quelque nouvel envoi de ce genre à nous faire dans quelques mois, quand vous trouverez ce qu'il faut et quand vous aurez le temps, car je vous déclare qu'après ce vin-là, tous les vins analogues qu'on trouve dans le commerce paraissent misérables.*
G. S. à Jules Boucoiran. 1863.

Vin de Bordeaux. *Nous n'avons plus de Bordeaux, et le Bordeaux est prescrit. Pouvez-vous nous faire envoyer par quelque ami ayant ses magasins hors barrière, un panier de 25 bouteilles de bon petit Bordeaux, ordinaire, mais ordinaire choisi et de confiance.*
G. S. à Henri Arrault. 1865.

Aspic de Volaille

Prenez deux pieds de veau, une livre de bœuf (jarret ou culotte), coupez le bœuf en morceaux, faites-le revenir dans du beurre, ajoutez les pieds de veau. Placez le tout dans une marmite, couvrez d'eau, faites cuire. Écumez.

Ajoutez sel, poivre, poireaux, oignons, quelques épices (une feuille de laurier, un peu de muscade, de girofle, de thym) suivant le goût. Ajoutez un verre à vin de Bordeaux rempli de bon et fort vinaigre, un demi-litre de vin blanc. Laissez cuire le tout ensemble pendant quatre ou cinq heures.

Sur les entrefaites, on rôtit un beau poulet, on le désosse, on le dépouille, on place dans la marmite les os et la peau du poulet rôti, on passe dans une passoire le contenu de la marmite, on laisse refroidir, on enlève la graisse, on remet le jus sur le feu, on clarifie avec deux blancs d'œufs et leurs coquilles cassées. On retire du feu, on passe dans un tamis très fin ou dans un sac de flanelle que l'on passe à l'eau dès que l'on s'en est servi. On découpe la volaille, on place les morceaux dans une terrine ou bien dans un moule, on fait prendre à la cave ou bien dans de la glace. Ce plat doit être fait la veille du jour où on le sert.

On peut aussi faire le même plat avec des restes de volaille et de veau, en ajoutant quelques tranches de jambon. Au moment de servir on démoule la gelée, on la sert sur un plat garni de persil en branches. L'aspic se sert après le rôti et avant l'entremets.

Recette de Lina Sand

À droite : si l'on possède un moule à aspic très travaillé, le résultat n'en sera que plus spectaculaire.

Poulets… *nous avons des poulets dans la cour en suffisante quantité pour approvisionner un régiment.*
G.S. à Louis-Nicolas Caron. 1828.

Poulets. *Vous ne m'induirez pas la moindre dépense. Quand on vit dans sa propre maison, mangeant le blé qu'on a semé et les poulets qu'on a pondus, on ne s'aperçoit pas d'un ou deux hôtes de plus ou de moins. Ma pauvreté, bien réelle, cesse dès que je suis ici.*
G. S. à Pauline Viardot. 1841.

Du temps de Liszt et de Mme d'Agoult, la dépense était excessive pour l'époque : 17 à 20 poulets par jour, des perdreaux, du lièvre et le reste !..
Solange Clesinger sur sa mère (inédit).

Poulet

«Le macaroni Calamatta, le premier macaroni du monde»

Vous prenez un poulet cru, vous le découpez de manière à en retirer la chair des ailes et de la poitrine (4 blancs), vous hachez très menu.

Vous prenez une petite casserole dans laquelle vous faites revenir à moitié un oignon haché aussi très menu, avant que l'oignon soit tout à fait blond, vous mettez votre blanc de poulet haché dans la casserole, l'oignon sera plus lent à cuire que le poulet, quand le poulet est devenu blanc, il est cuit, vous mouillez avec un verre et demi de bon vin blanc, vous laissez mijoter une demi-heure. Puis vous hachez bien menu toujours, un morceau de jambon maigre, un ou deux ronds de cervelas (sans ail), quelques queues d'écrevisses cuites, si vous en avez. Vous avez fait une sauce aux tomates aussi épaisse que possible. Vous jetez tout cela dans votre casserole et vous laissez mijoter à tout petit feu pendant une heure environ. Cela fait une sauce assez épaisse. Vous faites bouillir de l'eau avec un peu de sel, vous jetez votre macaroni dans cette eau bouillante et faites bouillir une demi-heure juste. Vous prenez un plat d'argent ou de forte porcelaine, vous badigeonnez le fond du plat avec du beurre. Vous mettez sur ce plat, une couche assez légère de macaroni puis quelques morceaux de beurre çà et là, puis du fromage de gruyère râpé, puis une couche de la fameuse sauce. Puis macaroni, beurre, fromage et sauce jusqu'à la fin. Il faut vous arranger pour garder un peu de sauce pour la fin, alors vous recouvrez votre préparation d'un léger recrépissage de la sauce qui constitue l'essence du macaroni.

Vous mettez le plat dans un four doux pendant 10 minutes et servez chaud comme potage. On en mange une énorme assiette et on boit un verre d'eau par-dessus.

Manuscrit d'une lettre à Lina
sur papier à en-tête
de la Société financière de Paris.
Auteur non identifié.

FARCE POUR GARNIR L'INTÉRIEUR DES VOLAILLES RÔTIES

Prenez le foie de la volaille, faites-le cuire à moitié, hachez-le finement, en y mêlant des champignons ou deux truffes, aussi hachés ; mêlez-y ensuite de la chair à saucisse, la mie d'un petit pain blanc bien mitonné dans du bouillon, un assaisonnement convenable de sel, de poivre, de girofle, de muscade râpée, des châtaignes, cuites préalablement et écrasées, un ou deux jaunes d'œufs, suivant la grosseur de la volaille.

En retranchant les châtaignes, cette farce peut servir à faire des boulettes pour garnir un vol-au-vent, ou bien roussies dans du beurre, et servies chaudes, avec une sauce piquante ; on ajoute des chairs de volaille ou de gibier finement hachées, pour faire ces boulettes, très connues dans le nord de la France et en Belgique sous le nom de « fricadelles ».

Recette d'Aurore Sand

Truffes. *Vite, des truffes pour le jour de l'An, des moyennes et des petites, de quoi bourrer une dinde et deux ou trois poulets. Tu dois savoir ce qu'il en faut.*
Fais adresser à Mme Sand à Nohant, par Châteauroux, ça arrivera. Le service est bien fait à présent. Pour le paiement, dis à Émile de te rembourser, et si tu n'es pas un cul de plomb, viens manger ce mets avec nous. Tu apporteras une belle bourriche d'huîtres et on trouvera le reste ici pour un festin de Lucullus...
G. S. à Victor Borie. 1859.

POULET À LA RICHELIEU

« Bon, long à préparer »

Se méfier que la côtelette ne soit pas trop sèche. Il faudrait y ajouter une matière pour la rendre mollette et onctueuse, du pain ou des biscottes mouillées de crème par exemple.

On désosse un poulet, on le hache, on le passe entièrement au tamis. Ajoutez-y du beurre, un œuf et des truffes hachées quand il est passé au tamis et assaisonné. Puis formez-en des côtelettes ; mettez comme manches des petits os du poulet, et faites blanchir à l'eau ou au bouillon.

Ayez préparé un petit roux, fait d'un peu de fécule ou de crème de riz, d'un peu d'eau-de-vie fine, bouquet et truffes. Renversez le jus sur les côtelettes et mettez une heure au feu.

Recette de Rose Renault
Manuscrit d'Aurore Sand

Ici encore l'appellation nominative du plat est erronée car la recette ne présente aucun des éléments qui doivent normalement accompagner un mets dit « à la Richelieu ».
Par contre, cette recette est une application à la volaille de la fameuse recette russe des côtes de veau Pojarski où l'on reconstitue la forme de la côte avec une farce de veau.

Ci-dessus : Marie Caillaud. *La grande Marie, une nature d'élite sous sa blanche cornette.*
G. S. à Dessauer. 1863.

Marie Caillaud est adorable. Elle a une tête angélique et une diction qui prend le cœur d'un bout à l'autre.
G. S. à Duvernet. 1858.

...Marie, une grande berrichonne que j'ai élevée, qui est la gouvernante de mon intérieur et une sorte de fille pour moi. Je l'ai soignée malade, elle me l'a bien rendu ! Ce n'est qu'une paysanne, mais d'une nature si distinguée et si réservée qu'elle vous intéressera comme un type.
G. S. à Christine Buloz. 1861.

C'est une pratique héritée du XVIIe siècle que d'associer les huîtres à une volaille (poularde ou canard). Mais l'appellation « à la jeune fille » est insolite.

Fricassée de Poulet

Je lui [Marie Caillaud] ai vu découper 2 petits poulets (pour 5 personnes), on met tout après avoir le soin de laver la tête, les pattes, l'intérieur, le dos, enfin toutes les parties qui touchent à l'intérieur.

Après on prend une casserole plate, on met fondre sur le feu, à peu près un quart de livre de beurre puis on met tous les morceaux dedans, on a soin qu'ils baignent un peu tous, on prend une bonne cuillerée de farine qu'on jette sur le poulet puis on retourne les morceaux sens dessus dessous et on remet une autre cuillerée de farine sur les morceaux qui n'en ont pas eu, 3 oignons, un bouquet de persil, sel et poivre, puis on verse de l'eau bouillante jusqu'à ce que les morceaux baignent bien.

On met un couvercle dessus et on n'y touche plus qu'au moment de servir. Avoir le soin de tourner la casserole pour que ça cuise partout mais ne jamais retourner les morceaux, cela mijote tout doucement.

Au moment de servir, on sauce bien les morceaux dans la sauce, on retire les oignons, le persil, on dresse les morceaux sur le plat, les vilains en dessous, puis deux jaunes d'œufs qu'on délaye avec un quart de cuillerée d'eau froide, on les met dans le jus sur un grand feu en tournant toujours, très peu de temps et on verse sur son plat. Mettre au four à 4 heures 1/2 pour le dîner à 6 heures.

Recette de Marie Caillaud
Manuscrit de Lina Sand

Poulet à la Jeune Fille

Remplissez un poulet d'huîtres bien fraîches, mettez dans un vase de terre ou de fer hermétiquement clos, faites bouillir jusqu'à cuisson au bain-marie, joignez au jus 2 onces de beurre, une demi-tasse de lait, 3 œufs durs hachés avec persil et un peu de fécule et faites cuire, puis avec cette liaison couvrez le poulet.

Recette de Lina Sand

Poulet au Riz

Prenez un poulet, dépecez-le, mettez-le dans une casserole avec du beurre, du lard découpé en dés, un oignon, un peu d'échalote hachée, poivre, sel, deux clous de girofle, une feuille de laurier. Faites revenir le poulet, et pendant qu'il cuit lentement, prenez du riz, échaudez-le avec de l'eau bouillante ; jetez cette eau, recommencez encore deux fois à échauder le riz de la même façon ; changez le poulet de casserole en y ajoutant les mêmes ingrédients que ci-dessus ; faites cuire le riz dans le jus qui est resté dans la première casserole.

On peut laisser rissoler un peu le riz si on l'aime ainsi ; en tout cas, les grains doivent rester entiers.

Servez sur le même plat que le poulet, lequel pourra être disposé en rocher sur la couche de riz. Ce mets, très simple, très facile à exécuter, est excellent.

Cahier d'Aurore Sand

Cette recette devrait plutôt s'intituler « Riz au jus de volaille ». C'est en effet le riz qui est ici l'élément le plus intéressant à déguster car il s'est chargé pendant sa cuisson de toutes les saveurs de la volaille.

Poulet Sauce Américaine

Coupez le poulet ou le lapin par morceaux et faites-le cuire à petit feu sans le dessécher dans de l'huile d'olive et un morceau de beurre que vous avez fait fondre ensemble avant d'y mettre la viande avec une gousse d'ail ou deux écrasée. Couvrez la casserole.

Dans une autre casserole, mettez un bon morceau de beurre que vous faites jaunir avec 2 échalotes hachées très fin, une cuillerée de farine, mouillez avec du vin blanc et du bouillon (3 verres en tout environ), hachez une pincée de persil que vous jetez dans la sauce, faites cuire aussi cette sauce à petit feu.

Lorsque la sauce est cuite, ajoutez un bol de sauce tomate et un peu de poivre de Cayenne (peu de poivre ordinaire). Lorsque la viande est cuite, mettez-la sur le plat chaud, et versez la sauce dessus. (Pour le veau et le lapin, il est préférable d'ajouter la sauce une demi-heure avant de servir.)

Recette d'Aurore Sand

La sauce Américaine ne s'applique pas seulement à des crustacés mais désigne aussi plus généralement une sauce tomate très relevée comme la sauce Diable.

Poulet Chasseur

Il est habituellement de mise d'accompagner le « poulet chasseur » avec des champignons.

Découpez un poulet comme pour fricasser, mettez dans un plat à sauter un bon morceau de beurre, laissez fondre, assaisonnez votre poulet avec sel et muscade, mettez-le dans le beurre et faites cuire tout doucement, 12 minutes suffisent, lorsqu'il est bien jaune, égouttez la moitié du beurre, mettez une pincée d'échalote hachée très fine, une petite pointe d'ail, une seconde suffit, ajoutez un demi-verre de vin blanc, laissez réduire de moitié, ajoutez deux cuillères d'espagnole, laissez bouillir deux minutes, ajoutez des fines herbes, goûtez et servez.

Recette de Magny
Manuscrit de Lina Sand

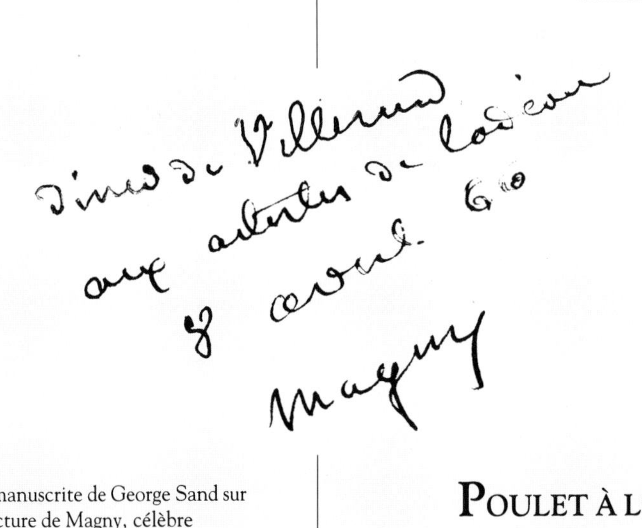

Note manuscrite de George Sand sur une facture de Magny, célèbre restaurant de la rive Gauche où avaient coutume de se réunir lors de dîners littéraires bimensuels Sainte-Beuve, Gustave Flaubert, Théophile Gautier, Hippolyte Taine, Ernest Renan, les frères Goncourt et George Sand, seule femme admise régulièrement dans ce cénacle à partir de 1866. George Sand avait parfois recours à Magny pour se faire envoyer du vin à Nohant.

Poulet à l'Italienne

On prend un poulet qu'on laisse entier. On graisse une casserole avec du beurre et de l'huile. Mettez-y le poulet avec un peu de farine, jus, vin blanc, sel et poivre et on laisse cuire entre deux feux.

Lorsque le poulet est à peu près cuit, on le dresse sur un plat (allant au feu), on passe la sauce au tamis et on la verse dessus, puis on saupoudre avec du gruyère râpé avec un peu de parmesan. Laissez gratiner au four et servez chaud.

Recette de Rose Renault
Manuscrit d'Aurore Sand

Volaille à l'Hermite

Ayez une boîte en fer blanc dont la longueur sera de 30 centimètres, la hauteur et la largeur de 20 centimètres, pourvue d'un couvercle fermant hermétiquement.

Placez dans cette boîte une volaille préalablement farcie avec des truffes, ou des marrons, ou des olives, ou bien un hachis quelconque ; ajoutez un bouquet de thym, laurier, persil, et céleri, quelques carottes et oignons, poivre et sel, et un quart de verre d'eau seulement et un demi-verre d'eau-de-vie.

Fermez bien la boîte et mettez-la dans une seconde boîte de même forme, de même métal, mais dont la dimension sera de 5 centimètres plus grande en tous sens.

Remplissez cette seconde boîte à moitié avec de l'eau bouillante, placez-la sur un feu ardent, et l'y maintenez pendant 5 ou 6 heures, en ayant soin de tenir la boîte toujours à moitié pleine d'eau bouillante, et toujours close. Après 5 ou 6 heures de cuisson, mettez la volaille sur un plat, liez le jus avec de la fécule et le versez sur le plat. Ce mets obtiendra l'approbation des gourmets les plus exigeants.

Recette d'Aurore Sand

S'agit-il d'une volaille « à l'ermite » ou « à l'hermétique » ? Y aurait-il un jeu de mots entre les deux ? Quoi qu'il en soit, et par un heureux hasard du langage, les deux termes sont ici appropriés. Aborder l'évolution des récipients qui ont permis à l'homme au fil des siècles de cuire des aliments à l'étouffée, c'est esquisser en quelque sorte l'histoire de l'humanité : du trou creusé dans la terre, tapissé de braises et recouvert de branchages (usage primitif qui persiste encore de nos jours dans certaines sociétés traditionnelles des îles du sud du Pacifique) au pot de terre (dont le nom, par métonymie du contenant vers le contenu, nous est resté dans de nombreux plats comme le « hochepot » médiéval, le « pot-au-feu », le « cassoulet » ou le « tian » provençal), au pot de fer (la marmite suspendue dans l'âtre pendant des heures), à la bouteille de verre (*Le Cuisinier François* en 1651 propose une recette de « poulets en ragoût dans une bouteille ») pour arriver à la boîte en fer blanc de Nicolas Appert (*Le Livre de tous les ménages ou l'Art de conserver...*, Paris, 1810) utilisé ici à Nohant en avant-garde comme ancêtre de notre autocuiseur qui, d'un mode de cuisson est devenu un mode de conservation, et révolutionnera un siècle plus tard nos habitudes alimentaires.

Pour Désosser une Volaille

Prenez la volaille (non vidée de peur d'abîmer la peau), fendez la peau du dos en long, détachez soigneusement la peau avec la viande. On enlève le jabot ; on casse les jointures des ailes, puis celles des cuisses.

On détache soigneusement la carcasse avec tous les intestins, puis on enlève l'autre moitié de carcasse en laissant dans la peau les deux blancs. Pour enlever les os des pattes retournez la viande à l'envers et grattez autour des os. Coupez les jointures délicatement car c'est le plus difficile.

Quand une cuisse est désossée, retournez-la à l'endroit et passez à la seconde ; faites de même pour les ailes ; coupez la tête dès le commencement.

Recette d'Aurore Sand

Double page suivante : les hôtes ont quitté la table avant le dessert peut-être attirés par la musique de Chopin qui se fait entendre par les portes ouvertes vers le salon.

Viandes

Côte de Bœuf Marinée

Une côte de bœuf marinée qui, avec quatre heures de cuisson, prend l'allure d'une daube.

Du poivre, du sel, des échalotes (7 ou 8), moitié vinaigre et moitié vin blanc que cela baigne à moitié, un verre en tout. Mariner trois ou quatre jours.

Pour faire cuire, faire frire dans la graisse puis un peu de farine et faire cuire avant les échalotes marinées dans la graisse, une carotte, un bouquet, un ou deux oignons, un cornichon coupé et puis de l'eau presque pour couvrir. Cuire 4 heures, faire consommer.

Recette de Lina Sand

Filet de Bœuf à la Béarnaise

L'appellation « filet de bœuf à la purée d'oignons » serait plus accordée à la recette.

Coupez vos beefsteacks comme pour les mettre sur le gril, mettez-les mariner dans l'huile d'olive. Après on les met cuire sur le gril comme des beefsteacks ordinaires. Vous avez eu soin à l'avance de peler 7 ou 8 gros oignons que vous faites cuire à l'eau ; quand ils sont cuits, vous les faites bien égoutter, après quoi vous les passez en purée dans un tamis. Quand vos oignons sont passés, vous y mettez un morceau de beurre frais, un peu de farine et un peu de crème. Votre viande étant cuite, dressez les morceaux sur un plat, mettez à peu près une cuillère à bouche de purée sur chaque morceau et servez.

Recette de Rose Renault
Manuscrit de Lina Sand

Filet de Bœuf à la Brésilienne

Préparez du filet comme pour le mettre sur le gril. Coupez des lardons dans la casserole, après qu'ils sont fondus, ajoutez-y un peu de beurre. Quand c'est chaud mettez vos morceaux de filet dans votre casserole pour faire dorer, après quoi on les saupoudre d'un peu de farine. Ajoutez-y du jus de viande ou un verre de bouillon, bouquet garni, une gousse d'ail, une échalote et un verre de madère.

Laissez cuire pendant deux heures avec un feu dessus et dessous ou dans un four. Dressez vos morceaux sur un plat, dégraissez la sauce et versez-la dans une passoire sur votre viande et servez. On peut y ajouter des morceaux de truffes.

Recette de Lina Sand

Madère... *Quand on envoie des échantillons sans commande, on se borne à une bouteille de chaque et on ne la fait pas payer. La lettre d'avis m'annonce 5 bouteilles de Lafitte, idem de Margaux, idem de Sauterne et pour 50 F de Madère. J'ai de tout cela plein ma cave et à bien meilleur marché, puisque j'achète en pièces. Enfin, j'ai à payer une note de 260 F dont 125 d'eau-de-vie. L'eau-de-vie est fort chère, 5 F la bouteille. Ce n'est pas ainsi que je m'approvisionnc ordinairement. Je demande un petit échantillon, et je me fais expédier un quartaut...*
G. S. à Sully-Lévy. 1854.

Bourek de Bœuf

Faire une pâte solide avec de la bonne farine et de l'eau salée. Bien la pétrir et l'étendre en feuilles minces comme des crèpes. Prenez un peu de viande crue, filet de bœuf par exemple : hachez-la très fin.

Faites revenir au beurre en tournant tout le temps. Mettez sel, poivre, épices, très peu de persil haché. Quand la farce est cuite, on ajoute un jaune d'œuf cru en remuant toujours. Puis placez le hachis dans la pâte et roulez comme une cigarette.

Préparez une poêle avec du beurre ; lorsqu'il est bouillant, jetez-y vos bourek jusqu'à ce qu'ils prennent une belle couleur. On peut les faire réchauffer en les faisant revenir une seconde fois.

Recette d'Aurore Sand

Le « beurreck » est une sorte de beignet au fromage en forme de cigare d'origine turque qui semble inconnu des livres de cuisine français avant 1900.
La recette qui en est donnée ici est intermédiaire entre le ravioli et le véritable « beurreck ». Elle s'inspire du premier pour la farce de viande et du second par la présentation.
On peut également faire une pâte à nouille ou une pâte feuilletée.

Pudding de Rumpsteack

Plat anglais

C'est un des meilleurs plats anglais. Il consiste en une pâte au suif contenant du rumpsteack fortement arrosé de fine champagne. Comme la fermeture est hermétique, la viande s'imbibe des

Les puddings salés existent également et c'est même peut-être d'ailleurs sous cette forme que l'appellation a tout d'abord été utilisée car le mot « pudding » a la même origine que notre « boudin » français. (Pudding : en anglais médiéval « poding », de l'ancien français « bousine », « nombril », XIIIe siècle, en gallo-romain, « botellinus », du latin *botellus*, saucisse).
Il existe aussi d'autres variantes de puddings salés comme les « beefsteak pudding », « beefsteak and kidney pudding » et « beefsteak and oysters pudding » dont A. Escoffier, qui a travaillé plusieurs années au *Savoy* de Londres, nous donne la description dans son *Guide culinaire* (1902).

parfums de l'eau-de-vie. Le résultat est tout à fait remarquable.

Rumpsteack 500 grammes
Fine champagne 100 grammes
Beurre 30 grammes
Farine 250 grammes
Graisse 150 grammes (de bœuf)
Un œuf
Eau tiède 100 grammes

Préparez la pâte, pour cela mélangez la farine, l'œuf, un peu de sel et assez d'eau tiède pour faire une pâte se faisant facilement. Abaissez-la au rouleau et saupoudrez-la de 50 grammes de graisse râpée ou hachée. Pliez en trois. Attendez 10 minutes. Abaissez puis remettez 50 grammes de graisse. Pliez en trois. Attendez 10 minutes. Recommencez en ajoutant le reste de la graisse. Finalement, étalez cette pâte de façon à obtenir une abaisse de 1 centimètre d'épaisseur. Prenez un bol. Découpez dans l'abaisse une rondelle avec l'ouverture du bol. Réservez-la.

Avec le reste de la pâte, remplissez le bol en épousant ses formes. Laissez déborder la pâte. Alors, faites sauter dans le beurre, le rumpsteack coupé en petits morceaux, salez, poivrez.

Placez-les dans le bol garni de pâte. Ajoutez l'eau-de-vie. Couvrez avec le couvercle de pâte que vous accolez hermétiquement à la pâte qui déborde du bol. La viande se trouve ainsi en cavité tout à fait close.

Enveloppez le bol dans une serviette, attachez les 4 coins de celle-ci et plongez le tout dans une casserole d'eau bouillante. Laissez cuire 3/4 d'heure. Servez avec le bol. Découpez et donnez à chacun de la viande et de la pâte.

Recette d'Aurore Sand

Carbonnades à la Flamande

Prenez des tranches de bœuf (de l'épaule) épaisses d'un bon doigt et pas trop grasses. Placez-les dans une casserole plate, et pas en cuivre, en terre de préférence ou en fer émaillé. Étalez dedans vos tranches de bœuf, un rognon de bœuf coupé aussi en tranches, et si vous voulez une tranche d'épaule de porc, on dit que ça fait un très bon effet mais je ne l'ai mangé sans rognon ni porc.

Ajoutez alors poivre et sel, un ou deux très petits oignons coupés très fins (de manière à ce que plus tard, on ne s'aperçoive pas qu'on en a mis) une feuille de laurier, une petite branche de thym, et un soupçon d'ail, il suffit même d'en frotter la casserole.

Versez sur tout cela de l'eau, de façon à ce que le tout soit couvert d'eau. Fermez hermétiquement ; notre cuisinière flamande à Anvers qui se servait aussi pour cela d'une casserole de terre, plaçait autour du couvercle par-dessus, quand il était placé, un linge mouillé qu'elle pressait bien autour du couvercle pour empêcher l'air, de pénétrer.

On met cela cuire doucement, également, pendant 4 à 5 heures sans regarder dedans. Un peu avant de servir, prenez un petit morceau de beurre frais manié de farine, et mêlez cela à la sauce pour la lier. Servez chaud.

On sert toujours cela ici (comme avec presque toutes les viandes) avec des pommes de terre bouillies, Monsieur Braemt mettait (à la Gantoise) une tranche de pain sur son assiette et se faisait mettre là-dessus, la viande et la sauce qui y pénétrait. Cette sauce qui est longue et une espèce de bouillon fort et aromatisé, nous nous y écrasions de préférence nos pommes de terre.

Recette de Lina Sand

On peut également mouiller la viande avec de la bière. Quant à l'habitude gantoise, plus qu'une simple coutume régionale, il faut y voir la continuité des manières de table médiévales de la « soupe trempée » ou du « pain tranchoir ».
La « soupe » désigne en effet, en ancien français, la tranche de pain trempée dans du vin ou du bouillon puis, par extension, l'ensemble du plat.
Le « tranchoir » était une tranche de pain disposée devant chaque convive du banquet où celui-ci posait viande et sauce et qui lui tenait lieu d'assiette.

Boulettes de Bouilli

« Très bon »

On hache le bouilli avec les légumes du pot-au-feu, le tout ensemble on ajoute un œuf entier, on forme les boulettes. Faites roussir du beurre, vous y jetterez les boulettes après les avoir entourées de farine ou de chapelure. C'est vite cuit.

Recette de Lina Sand

Le « gigot de 7 heures » est dit également « gigot à la cuillère » car les vertus d'une cuisson lente et modérée sept heures durant transforment la chair du gigot en une viande fondante à souhait, confite dans son jus, qui ne peut plus être tranchée.

Gigot de 7 Heures

Mettez dans une braisière ou casserole longue, oignons coupés en lames, carottes, un navet, bouquet garni, avec 2 gousses d'ail, fenouil, persil, thym, laurier, 3 grands verres de bouillon, 4 verres d'eau-de-vie, 3 verres de madère.

Votre gigot bien dressé en boule et bardé et ficelé, laissez cuire à feu doux pendant 7 heures, faites bien réduire la cuisson pour glacer le gigot avec et servez bien chaud avec une purée de haricots de Soissons.

Mouton à la Turque

« Bon »

Faites cuire du riz à l'eau, assaisonnez-le avec les quatre-épices, du persil haché fin, un peu d'échalote, sel, poivre. On peut y ajouter truffes, pistaches coupées en petits morceaux ou champignons. Variante meilleure : 1 poignée d'amandes pilées, 2 amères, 1 poignée de noisettes hachées, 1 poignée de pistaches coupées, 1 poignée de raisins de Smyrne.

Arrosez de deux ou trois bonnes cuillerées de fort bouillon. Dans une autre casserole, mettez 4 tomates, un gros oignon, 2 clous de girofle, un peu d'ail, farine, sel, poivre, bouillon et vin blanc dont vous faites une sauce.

Vous avez fait revenir un bas de gigot ou des côtelettes que vous mettez dans votre sauce tomate et vous faites cuire trois heures. Quand la cuisson est faite, dresser le riz dans un plat et par-dessus, placez-y la viande autour de laquelle vous pouvez encore ajouter des aubergines frites et des fonds d'artichauts blanchis.

Recette de Rose Renault
Manuscrit d'Aurore Sand

Préparation du gigot de 7 heures.

Haricot de Mouton

Rata

On met de la graisse dans une casserole et puis on fait revenir les morceaux pas trop longtemps, on met les pommes de terre, 2 oignons dans l'un, on pique trois ou quatre clous de girofle, une gousse d'ail, une cuillerée de farine au ras de la cuillère, puis on tourne les morceaux et on met une seconde cuillerée au ras, sel et poivre, puis on verse de l'eau bouillante dessus, il faut que cela baigne bien, un bouquet de persil, un peu de thym.

On fait bien bouillir d'abord et puis après on fait mijoter à petit feu au moins deux heures, et trois et 4 si l'on veut. Un quart d'heure avant de servir on met le caramel.

Recette de Marie Caillaud
Manuscrit de Lina Sand

Ne soyez pas surpris de ne pas trouver de haricots dans cette recette traditionnelle déjà présente dans les premiers traités culinaires médiévaux du XIVe siècle car, en effet, ce terme « haricot » ne désigne pas ici la légumineuse, inconnue en France jusqu'au début du XVIIe siècle, mais est un dérivé du participe passé « haricoté » ou « halicoté » qui signifie « coupé en morceaux », du verbe « haligoter », « couper en aiguillettes ».
Rata : argot militaire, 1829 abréviation de ratatouille.
Plat chaud servi aux soldats. Ragoût grossier.

« Kouskous » : orthographe berbère. Mets exotique découvert par les Français lors de la conquête de l'Algérie sous Charles X.

Kouss-Kouss

« Très bon. Épicer d'avantage

Mettre un kilo de viande de mouton dans une marmite en terre ou émaillée ou un pot-au-feu, après l'avoir coupé en morceaux et l'avoir fait revenir dans le beurre.

Quand la viande est bien revenue, on verse dessus, 2 litres 1/2 d'eau froide, et on laisse cuire 2 heures ; après quoi on ajoute un bouquet, 2 oignons coupés en morceaux, du sel, 2 clous de girofle, pas mal de poivre, un peu de chou et de navet ou de la citrouille. Puis faire bien bouillir.

Mettre le kess-kess (ou passoire) dessus, rempli de kouss-kouss et entouré d'un linge pour empêcher la vapeur de s'échapper autour du kess-kess. Il faut avoir préparé le kouss-kouss un grand quart d'heure avant, c'est-à-dire, l'avoir lavé et lui avoir laissé assez d'humidité pour qu'il gonfle.

Salez-le avant de le mettre au kess-kess. On le laisse alors jusqu'à ce que la vapeur passe à travers le kouss-kouss. Retirez-le alors, passez-y du beurre frais, peu, mettez sur un plat et dessus mettez votre viande et les légumes. Servez le margah (bouillon) à part.

On peut remplacer le mouton par du poulet mais jamais par du bœuf. Ça n'est pas bon.

Recette d'Aurore Sand

Une alléchante recette pour les nombreux amateurs de foie de veau qui le préfèreront toutefois un peu moins cuit.

Foie de Veau aux Truffes

Coupez votre foie de veau en petites languettes de la grandeur et de l'épaisseur d'une pièce de 2 sous, puis vous le saupoudrez de sel et de poivre, faites chauffer du beurre dans une poêle et faites prendre couleur à vos tranches de foie, laissez cuire 3 minutes d'un côté et 3 minutes de l'autre.

Ôtez le foie, faites cuire dans la poêle des truffes émincées dans du jus de viande, assaisonnez-les de poivre et d'un peu d'épices, une fois cuites à point, versez-les sur le foie de veau, que vous aurez dressé sur un plat avec le jus où elles auront cuit. Servez.

GRENADE DE FOIES DE VOLAILLE OU DE VEAU

Une livre 1/2 de rouelle de veau qu'on hache avec un couteau jusqu'à ce qu'on en ait la grosseur du poing. Piler encore avec de la graisse de rognon en petite quantité, 2 jaunes d'œufs, 2 cuillerées de jeune crème, 2 cuillerées de mie de pain trempée dans du lait.

Le tout bien préparé ; ajoutez-y les 2 blancs battus en neige, sel et poivre. Cuire au bain-marie 2 heures dans un moule dont le fond sera garni d'un papier beurré. Jus avec les débris de veau par-dessus.

Recette de tante Mimi Ferra
Manuscrit de Lina Sand

« Grenade » désigne au XVIIIe siècle un plat moulé, pouvant être plus ou moins sophistiqué, qui mêle en son intérieur farce et morceaux de viande.
Cette appellation provient du nom du fruit à grains, très en vogue au siècle précédent, dont les cuisiniers ont appliqué le principe : une forme close, moulée, qui s'éclate à l'ouverture en grains : farce et morceaux de viande.
On trouve encore chez Carême en 1843 la description d'une grenade de filets de poulet et d'une grenade de lapereau.

VEAU EN SARDINES

Veau froid

Prenez 500 grammes de veau maigre (bien dépouillé des peaux, nerfs et os), 200 grammes de chair à saucisse ou de porc frais, 125 grammes de sardines nettoyées, dépouillées de leurs arêtes ; deux œufs ; hachez le tout séparément, puis ensemble, bien menu ; ajoutez les deux œufs entiers pour lier la pâte ; poivre, sel, quatre-épices ; disposez la pâte soit en gâteau, soit en très gros boudin bien saupoudré de chapelure, puis roulé dans de la chapelure ; faites frire doucement dans du beurre frais ; servez froid, soit en hors-d'œuvre, soit à déjeuner.

Cahier d'Aurore Sand

La chair blanche et tendre du veau se prête à toutes les fantaisies — Grimod de La Reynière l'avait surnommé le « caméléon de la cuisine » — et une certaine tradition culinaire l'assortit volontiers avec des produits de la mer plus corsés tels que les sardines, oursins ou anchois pour en relever le goût.

Le veau est ici carrément traité comme un poisson. Cette recette de veau dit « thonné » est fortement prisée en Italie où elle est appelée « vitello tonatto ». C'est une entrée froide que l'on sert généralement accompagnée de câpres et d'œufs durs.
La réciproque du « thon en veau » est néanmoins plus répandue car le thon, souvent considéré comme le « veau des mers », emprunte un grand nombre de ses apprêts à la viande de veau.

Veau en Thon

On prend un beau quartier de veau que l'on coupe en gros morceaux comme s'il s'agissait de préparer des escalopes. Ôtez les peaux et les tendons, battez-le fortement et saupoudrez-le bien de sel.

Laissez reposer jusqu'au lendemain, laissez la viande dans de l'eau fraîche pour la dessaler, placez les morceaux dans une casserole, ajoutez (pour 2 kilos de viande) 125 grammes d'anchois bien nettoyés et pilés, du persil, du thym, un peu de muscade, du poivre blanc en poudre, trois feuilles de laurier, le jus de trois citrons, clous de girofle et poivre en grains. Couvrez la viande avec de l'eau; faites cuire doucement, mais continuellement, jusqu'à ce que le jus soit presque entièrement réduit.

Enlevez alors les tranches, ajoutez un peu d'anchois pilés, placez-les dans une terrine ou dans un pot en les serrant autant que possible. Couvrez le tout avec de la bonne huile d'olive. Ce hors-d'œuvre se conserve pendant plusieurs semaines, pour peu que l'on prenne la peine de maintenir les tranches toujours couvertes d'huile.

Cahier d'Aurore Sand

Veau en Gelée

On prend un beau morceau de veau maigre et sans os; on le fait mariner pendant deux jours dans du vinaigre, avec des oignons, des tranches de carottes, des épices et assaisonnements divers. On prépare une gelée avec une oreille et deux pieds de porc, un pied de veau, un tiers d'eau, un tiers de vin blanc, un tiers de vinaigre, le tout en quantité suffisante pour que les pieds et l'oreille soient bien recouverts; on y ajoute des oignons, un peu d'ail et des épices; on fait cuire le tout pendant quatre heures, on retire les divers morceaux, on laisse reposer, on enlève la graisse, on passe le jus dans un tamis, on découpe le veau par tranches ou bien on laisse le morceau entier; dans le premier cas on place les tranches dans une terrine en y ajoutant le jus qui n'est pas encore pris en gelée; dans le second cas, on place le morceau entier dans un plat creux, de telle sorte qu'il puisse être recouvert avec le jus liquide.

On porte le tout à la cave, en réservant une partie du jus, qui prendra en gelée, et dont on se servira pour décorer le plat.

Le lendemain, ou surlendemain, on retourne la préparation sur le plat qui doit être servi à table et que l'on orne avec la gelée réservée. Dans le cas où cette gelée ne serait pas parfaitement claire, il faudrait la remettre au feu, et la passer une seconde fois ; mieux vaut donc préparer le plat deux ou trois jours d'avance.

Cahier d'Aurore Sand

Ci-dessus : Rose Renault, la plus célèbre cuisinière de Nohant.

Côtelettes de Veau en Papillotes

Parez vos côtelettes et préparez une farce avec du veau ou du poulet. Masquez-la avec du beurre, du persil, poivre, sel, champignons ; assaisonnez vos côtelettes et panez-les dessus et dessous avec votre farce. Vous prenez du papier d'office que vous beurrez. Vous enveloppez avec ce papier vos côtelettes en forme de papillotes, vous les rangez sur un gril, faites cuire au four à l'étouffée. Servez-les dans le papier.

Recette de Rose Renault
Manuscrit de Lina Sand

Ce type de cuisson à l'étouffée permet aux côtelettes de cuire dans leur jus. Le service des papillotes est toujours spectaculaire et leur ouverture laisse soudain échapper un fumet très odorant sous le nez des convives...

Petits Fricandeaux aux Champignons

On coupe de fines escalopes de veau, on les arrondit, on les pique de lard, on y met du sel, puis on les fait revenir dans du beurre assaisonné d'un peu d'oignons découpés.

Tandis que ces petits fricandeaux prennent une belle couleur brune de chaque côté (on les arrose de temps en temps avec du jus), on prépare une certaine quantité de champignons finement découpés, assaisonnés de beurre et de sel, de poivre et d'un peu de jus de citron, si on l'aime ; on mouille avec du bouillon, et l'on sert les fricandeaux sur les champignons.

Recette d'Aurore Sand

Galantine ou Daube

Ne pas oublier de mouiller à hauteur de la ballottine avec un bon vin blanc et du fond de volaille.
En réduisant ce liquide de cuisson, on obtiendra une bonne gelée pour accompagner la galantine froide.

Prenez un dindon ou une grosse poule, après l'avoir tuée et bien nettoyée, fendre la volaille sur le dos et l'écorcher en faisant attention de ne pas percer la peau. La découper et garder toute la viande, c'est-à-dire les plus jolis morceaux. Prendre 1/2 livre de porc, dans la sous-gorge, 1/2 livre de veau et 1/2 livre de chair à saucisse. Placer les viandes par couches dans la peau de la bête en y ajoutant du sel et un peu d'épices. (La chair à saucisse devra être placée de temps en temps pour graisser les autres morceaux de viandes. Il ne doit y avoir aucun os, ni aucun tendon, dans la composition de cette daube.)

Lorsque la peau sera bien garnie des chairs différentes assaisonnées, on la recoudra et l'enveloppera d'un linge de toile fine pour maintenir et servir pour ainsi dire de moule à la daube. Ensuite faire cuire 4 à 6 heures au bain-marie dans une daubière placée dans une bassine remplie d'eau.

Recette de Nounou
Manuscrit d'Aurore Sand

Composition du Curry

Le curry, en effet, n'est pas une épice mais un mélange d'épices dont la formule peut varier selon les coutumes locales indiennes ou l'inspiration du « curry-cook ».

Pour 100 :
Piment 50
Racine de curcuma 36
Clous de girofle 6
Poivre blanc 6
Muscade 2

Recette d'Aurore Sand

RECETTE POUR LE CURRY

Mets malais

«Pour manger simultanément avec le riz»

Cuisson 2 à 3 h à feu doux. On fait revenir de la viande dans le beurre et les oignons déjà revenus un peu salés, puis on lie avec 2 cuillerées de farine et ajouter l'eau bouillante. À moitié cuisson, ajouter le citron et curry. Le lait à la fin.

Faire frire dans le beurre un gros oignon coupé en tranches minces, ajouter de la viande qu'on aura coupée par petits cubes. Puis ajouter de l'eau bouillante. Laisser bouillir jusqu'à ce que la viande soit cuite. Ajouter deux petites cuillerées à thé de curry, du sel et la pelure d'un demi-citron. Bouillir le tout sur petit feu et à la fin ajouter du lait et servir dans un quart d'heure.

QUANTITÉS
1 gros oignon
2 cuillerées de beurre
2 petites cuillerées à thé de curry
1/2 livre de viande quelconque
du sel
un peu d'eau
et deux tasses de lait

J'ai copié textuellement la note donnée, il ne faut donc pas s'étonner si la rédaction en est un peu singulière. Cela vient d'une étrangère.

Pour la recette javanaise, on peut ajouter un peu de sucre mais je ne suis guère partisan de cette adjonction.

Recette de M. H. Detouche
Manuscrit d'Aurore Sand
Note de Lina Sand

Gibier

Langues de Renne de Laponie

Une recette vraiment insolite pour le Berry !
Urbain Dubois et Émile Bernard, chefs des cuisines de leurs Majestés le roi Guillaume de Prusse et la reine Augusta mentionnent dans leur monumentale *Cuisine classique* (1856) que l'on peut trouver « des langues de renne sur les marchés de Pétersbourg [...] gelées par le froid mais [qu']elles n'en sont pas moins estimées par les gourmets » et ajoutent qu'on peut également y trouver « des bosses de bison provenant de Laponie ». Avis aux amateurs !

Ces langues se mangent cuites ; il faut d'abord les faire tremper pendant 24 heures au moins, puis les faire cuire pendant deux ou trois heures dans un court-bouillon assaisonné de sel, poivre, thym et laurier ; on peut une fois cuites, les servir à volonté froides ou chaudes.

Recette de Gilot
Manuscrit de Lina Sand

Lièvre à la Royale

Un des mets les plus appréciés des gourmets. On peut également selon la recette traditionnelle faire une farce moins grasse et plus parfumée avec le foie et le cœur du lièvre hachés avec oignon, ail, truffe, foie gras, lard et mie de pain, le tout lié au sang et braiser le lièvre au vin rouge.

Prenez un lièvre ; veillez, en le vidant, à ce que le sang ne se perde pas ; lavez l'intérieur avec un quart de litre de vinaigre, en faisant passer le vinaigre de la bouche à la queue.

Ce vinaigre entraîne le sang et sert à mariner le lièvre durant 24 heures, en ayant soin de le retourner, après 12 heures. Prenez un kilo de viande de porc frais, un peu grasse, 125 grammes de lard salé, et toutes sortes d'épices, suivant les goûts particuliers ; des truffes, si c'est possible ; hachez le tout, de façon à former une farce que l'on introduit dans le lièvre. On tourne celui-ci en rond, tête sur queue, on le place dans une tourtière, ou four de campagne, en l'enveloppant de tranches de lard (dessus et dessous).

Mettez entre deux feux (dessus et dessous) très doux, laissez mijoter pendant six heures au moins. Quand le jus est fait, ajoutez le vinaigre dans lequel on a fait mariner le lièvre, salez, poivrez, servez chaud.

Si le lièvre avait perdu son sang, on le remplacerait par celui d'un poulet. Si la sauce était insuffisante, on y ajouterait un peu de bouillon, mais jamais de l'eau.

Cahier d'Aurore Sand

Lièvre à l'Aigre-Doux

Lièvre in agro dolce (Italie)

« Très bon »

Enlevez la tête et coupez en morceaux comme pour le civet. Mettez dans une casserole avec sel, poivre, bouquet, lard coupé en petits dés. Faites revenir avec un peu de farine, baignez d'un bon verre de vin blanc. Faites réduire tout doucement. Cependant, mettez dans une autre casserole deux verres de sucre en poudre et deux de vinaigre.

Faites chauffer un peu. Ajoutez 2 fruits confits coupés en petits morceaux et 12 à 18 pruneaux. Dans une troisième casserole, faites fondre trois tablettes de chocolat, avec un demi-verre d'eau ou un verre.

À moitié cuisson réunissez, unissez, mêlez après avoir passé la sauce du lièvre par un gros tamis. Trois heures de cuisson douce.

Recette d'Aurore Sand

Recette typique du sud de l'Italie, attestée par A. Escoffier dans son *Guide culinaire* (1902).
Les fruits confits sont en général des écorces d'oranges ou de cédrats. On peut également ajouter des cerises confites au vinaigre et des « pignoli » (pignons). Nous conseillons d'ajouter le chocolat chaud au dernier moment.

Civet de Lièvre

« A servir avec des pommes vapeur »
« Délicieux »

Mettre dans la casserole un peu de saindoux, y mettre 2 oignons, couper des petits morceaux de lard de poitrine qu'on met en même temps que les morceaux de lièvre.

Faire bien revenir, semer un peu de farine : bien remuer le tout, laisser jaunir et toujours tourner. Ajouter un demi-litre de vin rouge pour un demi-lièvre, sel, poivre, persil, thym et laurier. Après une demi-heure de cuisson par ébullition, ajouter 2 cuillerées à bouche de cognac. Laisser mijoter 2 heures. (Si le lard jaunit trop, l'enlever et le remettre pour finir.)

Recette de Nounou
Manuscrit d'Aurore Sand

Une bonne recette de civet de lièvre où il serait judicieux de laisser mariner le lièvre auparavant pendant douze heures au vin rouge.
Un plat encore meilleur réchauffé.

A droite : état des chasses de M. Plauchut (voir page 37) dessiné par la jeune Aurore Sand.

Rameron est une déformation de « ramereau » (ou « ramerot ») : jeune ramier. C'est la meilleure espèce et le meilleur âge pour manger le pigeon. Une recette dans l'esprit des jambonnettes de volaille.

Une recette propre à M. Schutzenberger car elle ne se rapporte à aucune base classique connue.
Le godiveau est une farce délicate avec laquelle on fait des quenelles.

RAMERONS FARCIS

On coupe un jeune pigeon en deux, on désosse la cuisse en laissant la patte, on étend la viande, on coupe une tranche très mince de veau qu'on met sur la viande (cuisse de pigeon) puis on fait une petite farce de ce qu'on a de bon, on met une petite tranche de jambon si l'on veut et un rond de truffe si on l'a, on forme ensuite la cuisse en forme de côtelette.

On a pilé la carcasse des pigeons si on a d'autres os, on les pile aussi et on met cela dans une casserole avec un peu de bouillon, assaisonnement, quand la sauce est bien réduite, on y met cuire les petites cuisses farcies. On place ces cuisses qu'on sert avec le jus passé au tamis.

On peut faire un bon jus avec 2 abattis de poulet et un litre et demi d'eau, poivre, sel, carottes, navets, choux, tous les légumes qu'on veut, cela bout lentement et l'on s'en sert pour sauces en été surtout.

Recette de Lina Sand

SAUCE POUR LE GIBIER ET SALMIS

de M. Schutzenberger père

Une livre de foie de veau qu'on rôtit dans le beurre : jaune, on le sort de la poêle. On y fait jaunir à l'étouffée, beaucoup d'oignons coupés finement.

Quand les oignons sont tendres, on ajoute du bouillon assez pour fond de sauce, on remet le foie en ajoutant verdure : 1 gousse d'ail, poivre, sel, puis on laisse mijoter et réduire cette sauce.

On l'ajoute alors au gibier déjà rôti, on le laisse cuire dedans le temps voulu pour l'attendrir et un peu avant de servir on ajoute : un petit verre de madère et de cognac, on laisse cuire pour enlever le goût des liqueurs et en tout dernier lieu on ajoute des anchois hachés fins, des câpres si l'on veut et l'on sert garni de croûtons, champignons ; si l'on veut godiveau, tout cela dépend du gibier et du goût de la maison (et même des truffes).

Recette de M. Schutzenberger
Manuscrit d'Aurore Sand

Chasses

de Monsieur Plauchut de Saint-Gaudens.

Dates	Nombres des pièces	Désignations des pièces	Localités.
23	1	Lapin ; gras et frais.	Jardin de Nohant.
8	1	Lapin. fort beau	Jardin de Nohant.
26	1	Perdrix grise et grosse	Carrière du chemin de la Pépinière.
27	2	Perdrix grises et jeunes	Chottes
28	1	Perdrix grise et bonne	Carrière des Girondelles
31	1	Perdrix grise	Champ Morat
1	2	Perdrix grises	route de la rivière
"	1	caille belle	" " " "
6	1	Lapin moyen	Jardin de Nohant
8	1	caille petite	Chottes
10	1	perdrix belle et grise	Girondelles.
31	1	Lapin	Bouleaux
8	1	Chevreuil, forêt d'Halatte	au rideau de la route du poteau de la mare aux oiseaux
18	1	lièvre	Bouleaux
"	1	grive	
3	1	lièvre	Coteau
16	1	lièvre	Bouleaux

Accompagnements Légumes

Artichauts à la Grecque

Il faut ajouter quelques graines de coriandre à cette préparation pour la faire coïncider avec les caractéristiques de son appellation dite « à la grecque ».

Prenez des petits artichauts de Nice que vous épluchez jusqu'à ce qu'il n'y ait plus de vert, parez la pointe, citronnez très fortement et mettez-les dans une terrine d'eau citronnée. Préparez dans un sautoir une cuisson préparée comme suit :

2 verres d'eau
1/2 verre d'huile d'olive fine
1 paquet d'oignons nouveaux
1 zeste de citron coupé en tranches, thym, laurier,
1 gousse d'ail, persil, poivre en grains, sel

Mettre cette cuisson sur le feu, quand elle est en ébullition y jeter les artichauts, couvrir et laissez cuire jusqu'à ce qu'il n'y ait plus d'eau. Si à ce moment les artichauts ne sont pas bien cuits y ajouter un peu d'eau jusqu'à cuisson complète.

Laissez refroidir et dressez sur un ravier avec l'huile et tous les ingrédients qui ont servi à la cuisson. Si les queues des artichauts ne sont pas verreuses on peut les éplucher jusqu'à la moelle et les ajouter en même temps que les artichauts.

Recette du père Bonoblet
Manuscrit d'Aurore Sand

Aubergines Frites

Les peler, les couper en deux par la longueur, puis les tailler en carré légèrement dans la partie intérieure, les saler sur cette partie (le sel fait sortir l'âcreté en pénétrant dans les entailles) un quart d'heure après, les laver et les bien serrer une à une dans la main pour faire sortir l'eau.

Ensuite les faire frire à la poêle dans l'huile à petit feu, il y a des personnes qui les aiment plus ou moins cuites. On peut les manger ainsi, mais ordinairement

on y ajoute une sauce tomate que l'on sert à part et que chacun étale sur son aubergine.
Aubergines, comme garniture avec du veau.

Même préparation que plus haut. Seulement il faut couper les aubergines en morceaux de la grosseur d'une amande. Quand elles sont bien frites les laisser égoutter dans une passoire.

Un quart d'heure avant de servir le veau, les mettre dans la casserole où cuit le veau et dans son jus, c'est une excellente garniture.

Recette de Charles Sagnier
Manuscrit de Lina Sand

Champignons en Coquilles

Prenez des champignons jeunes et fermes, hachez-les en petits dés ; mettez-les dans une casserole avec de l'huile fine ; laissez cuire, hachez un peu d'oignon très menu que vous ajoutez aux champignons tout en les faisant cuire, sel, poivre, un peu de farine, et mouillez avec du bouillon.

Laissez réduire le tout jusqu'à consistance de bouillie, ajoutez un peu de lait ; après quelques minutes de cuisson, mettez cette bouillie par petits tas dans les coquilles, laissez refroidir.

Quand une sorte de croûte s'est formée sur la superficie, arrosez avec de l'huile fine, saupoudrez avec de la chapelure, arrosez encore avec de l'huile fine, mettez sur le gril et faites cuire à grand feu pendant six à huit minutes. Servez chaud. Cette recette est garantie excellente.

Cahier d'Aurore Sand

Des champignons gratinés au four et servis dans une coquille Saint-Jacques conservée : cette recette simple et amusante, encore en vogue aujourd'hui chez certains charcutiers-traiteurs, peut également être servie en entrée.

Timbale Stéphanie

Garnissez de pâte brisée un moule un peu profond, huilé d'avance, ou mieux encore entouré à l'intérieur avec un papier huilé. Faites cuire à part une quantité de macaroni suffisante, bien épicés.

Placez dans le moule une couche de chair à saucisse, une couche de macaroni, une couche de fromage parmesan et de gruyère, râpés et mélangés, des tranches de jambon coupées très minces, une

Les timbales de macaroni furent longtemps les seules préparations de pâtes alimentaires jugées dignes d'être présentées sur les tables bourgeoises où l'on considérait les plats de pâtes comme vulgaires ou seulement destinés aux enfants.

nouvelle couche de macaroni, de fromage râpé; ajoutez des crêtes de coq, des blancs de volaille, une nouvelle couche de macaroni; fermez avec un couvercle de pâte après avoir recouvert avec de la chair à saucisse. Pratiquez une ouverture dans la pâte, afin de pouvoir y glisser, après cuisson, un bon jus coulis.

Cahier d'Aurore Sand

Pourpier Doré

Pourpier doré. Le pourpier sauvage qui s'étale sur le sol de nos potagers et est arraché aujourd'hui comme mauvaise herbe fut longtemps considéré comme la salade du pauvre. Il fut cependant cultivé en France dès le XVIe siècle et la variété la plus courante est celle du pourpier doré à larges feuilles et tiges dressées. *Le Cuisinier françois* en 1651 recommande de le confire au vinaigre comme les cornichons. C'est un produit qui fait une réapparition timide sur nos marchés. On le consomme le plus souvent cru, en salade, où il est apprécié pour sa feuille charnue et acidulée.

Pourpier, bon en salade, très bon cuit, assaisonné avec un peu de beurre et un jaune d'œuf avant de le servir. Ne se sème qu'en mai crainte de la gelée et successivement tout l'été mais pour en avoir de bonne heure et comme légume frais du printemps on le sème sous châssis ou sur couche.

Qualité douce et rafraîchissante. Réputation de vermifuge en Flandres.

Recette de Mme Grille de Beuzelin
Confidente de Solange Clésinger

Purée de Pois

(ou haricots de Soissons, de carottes avec pommes de terre, ou de navets et pommes de terre, ou choux blancs et pommes de terre, ou de choux rouges)

Bien qu'à Nohant les amis trouvassent bonne et copieuse table, qu'à Paris Magny fût requis pour des dîners quotidiens recherchés, dès qu'elle était seule, une aile de poulet, du café noir, un œuf à la coque, de l'eau rougie, lui suffisaient... Dès que parents et amis arrivaient rien n'était coûteux, éloigné, inaccessible pour que les repas fussent convenables et friands.
Solange Clesinger sur sa mère (inédit).

Toutes ces purées doivent cuire très longtemps, on fait cuire du céleri, ou des poireaux, un oignon si on l'aime et on passe cela avec la purée, se lie avec une cuillerée de farine et se sert avec des croûtons frits au beurre ou dans la graisse, quand la purée est passée et les croûtons frits, prenez ceux-ci avec une fourchette pour les mettre dans la soupière où ils sèchent et versez ce beurre bruni qui a servi à les frire, dans votre purée.

Recette de Solange Clésinger

Ravioli

«Très bon»

Pour 6 personnes.
Pâte : 1/2 livre de farine : un trou au milieu sur la planche ; cassez-y 3 œufs entiers et travaillez bien (1 bon quart d'heure), ne pas laisser reposer, et faire tout vivement.
Pour garnir la pâte : on hache du bœuf cru, haché très fin, sel, poivre, du thym (très fin).

Faites revenir au beurre cette farce, en la tournant, environ 1 à 2 minutes (feu doux). La disposer dans la pâte en lui donnant la forme du ravioli, et couper les bords avec la roulette. Quand ils sont tous faits, on les jette à l'eau bouillante salée : une heure de cuisson, à bouillir doucement tout le temps.

Les sortir, les mettre égoutter dans une passoire. Beurrez le fond d'un plat creux qui va au four. Posez les ravioli par couches, mettre sur chaque couche du gruyère râpé et un peu de beurre par petits morceaux (peu de beurre). Par-dessus, pour finir, bien garnir de fromage et un peu de beurre. Faire gratiner au four — feu vif.

Recette de Nounou
Manuscrit d'Aurore Sand

Ci-dessus : Nounou entre deux servantes sur la terrasse du château.

Pâte à Nouille

(Alsace)

1/2 livre de farine
2 petits œufs
un peu d'eau ou un peu de cognac et pas de sel

Bien travailler cette pâte, l'étendre plusieurs fois. Puis en faire plusieurs galettes minces et laissez sécher. Puis roulez la pâte en longueur et coupez par tranches minces. Puis secouez pour bien désunir. Faites bouillir 20 minutes à l'eau bouillante et salée. Égouttez. Versez dessus du beurre bouillant dans lequel vous aurez fait frire quelques nouilles.

Recette d'Aurore Sand

L'indication finale de cette recette semble apparenter cette pâte à nouille aux « frimsels », pâtes juives alsaciennes, qui sont pour moitié bouillies, pour moitié frites, et que l'on sert mélangées ensemble dans l'assiette.

Riz à la Grecque

« Très bon »

« Riz au gruyère » serait plus exact.

300 grammes de riz, précipitez-le à l'eau bouillante légèrement salée, de 13 à 16 minutes de cuisson (pas trop d'eau). Râpez de 50 à 70 grammes de gruyère ou de parmesan.

Cassez 2 œufs entiers, mêlez avec le fromage et 2 bonnes noix de beurre en petits morceaux. Le tout dans un plat creux et chauffé. Mélangez le tout ensemble.

Quand le riz est cuit on l'égoutte dans une passoire (s'il reste de l'eau, la garder), et on le verse dans le plat où est le mélange qu'on amalgame.

On ajoute 1/4 ou 1/2 verre d'eau, de l'eau de la cuisson si le riz est trop épais. Servez. On peut ajouter un peu de safran dans le mélange.

Recette d'Aurore Sand

Ci-dessous : plan de table du déjeuner de baptême d'Aurore et Gabrielle. À *notre baptême — je dis notre, parce que nous fûmes baptisées ensemble, ma sœur et moi : j'avais quatre ans, et elle en avait deux, — on amena le canon de La Châtre pour nourrir le bruit guerrier de la couleuvrine. Quatre sapeurs barbus étaient rangés derrière nous deux, juchées sur nos chaises d'enfants. Ils portaient le haut bonnet à poil, le tablier de cuir et la hache au poing, pendant que le pasteur officiait. La cérémonie se passait à la salle à manger. George Sand était ma marraine, le Prince Napoléon mon parrain.*
Aurore Sand - Souvenirs de Nohant.

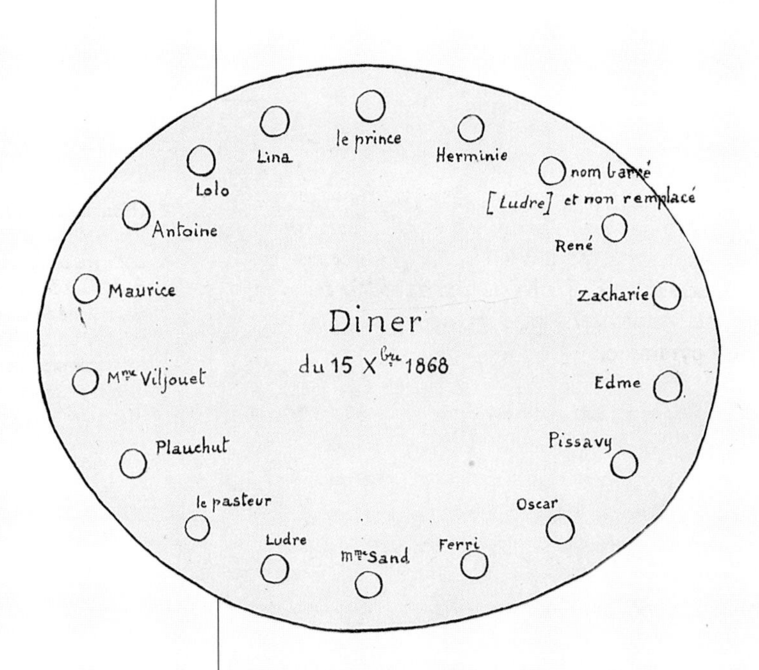

Risotto

Pour un plat de 6 personnes.

Prendre un quart de moelle de bœuf, la faire fondre et la passer, y mettre six cuillerées de riz, le laisser cuire dix minutes à petit feu ; ajouter ensuite du bouillon de manière que cela ne soit pas trop épais ni trop liquide, le laisser cuire à point avec un peu de sel. Avoir dans une casserole du bon jus dans lequel vous ferez mijoter cinq ou six champignons, du poulet et des truffes, le tout émincé.

Manière de servir le risotto : prendre un plat un peu creux, y mettre d'abord un lit de fromage râpé, ensuite un lit de riz et puis un lit de ce que contient la casserole, recommencer l'opération dans le même ordre jusqu'à ce que vous aurez employé vos quantités, couronner le tout de fromage et saupoudrer de safran. Pour servir bien chaud, mettre le plat un quart d'heure dans le four.

Recette de Mme Villot
Manuscrit de Lina Sand

Pour obtenir un riz bien crémeux, le mode de cuisson du risotto est primordial : on doit commencer comme pour le riz pilaf avec une tombée d'oignons revenus au beurre mais ensuite le liquide de mouillage doit être incorporé progressivement, un tiers par un tiers, sans arrêter de remuer le riz.

Pilaf

Faites cuire le riz rien qu'au beurre et lui donner une belle couleur dorée, arrosez-le de bouillon ou d'eau. Continuez la cuisson jusqu'au moment de servir en surveillant bien pour qu'il ne se délaye pas et reste croquant, on peut ajouter des morceaux de viande ou servir avec un plat de viande froide ou avec du fromage de gruyère râpé et additionné au riz. Servez en pyramide.

Recette d'Aurore Sand

Voici la façon traditionnelle de cuire le riz pilaf décrite par A. Escoffier dans son petit opuscule sur *Le Riz* (Flammarion, 1927) :
« Faire blondir très légèrement, une cuillerée d'oignon finement haché, dans 50 g de beurre ; lui mêler 250 g de riz, pincée de sel et poivre. Remuer le riz avec une cuillère en bois, une ou deux minutes, de façon que le riz soit bien enveloppé de beurre ; mouiller d'un demi-litre de bouillon blanc et bouillant. Couvrir la casserole, la mettre dans le four. Temps de cuisson, 18 minutes. »

Pouding au gros Tapioca (ou Semoule ou Riz)

Perles du Brésil

Faites cuire dans une demi-chope de lait, 2 cuillerées à soupe de gros tapioca avec un peu de sucre. Mélangez-y après cuisson achevée un morceau de beurre gros comme une noix, 3 jaunes d'œufs.

Faites le mélange, fouettez 4 blancs en neige, mélangez encore. Beurrez une forme, mettez-y le tout. Faites cuire au bain-marie 1/2 heure et pour achever, dorez-le au four par en haut.

(Sauce Sabayone) prenez 1/2 verre de vin blanc, un jaune d'œuf et un œuf entier, sucrez à volonté, battez le tout sur feu doux jusqu'à complète cuisson.

Lina Sand. *C'est une nature et un type : ça chante à ravir, c'est colère et tendre, ça fait des friandises succulentes pour nous surprendre, et chaque journée de notre phase de récréation est une petite fête qu'elle organise...*
George Sand.

Pudding soit à la semoule, ou Riz, ou Vermicelles, ou Farine

Cuisez l'un ou l'autre de ces farineux dans du lait, du sucre de manière à en former une bouillie assez épaisse ; pendant que cela cuit, mettez-y soit de la vanille, ou de la cannelle, ou du zeste de citron, suivant votre goût ; puis une petite pincée de sel.

Laissez refroidir ; ajoutez trois jaunes d'œuf crus ; battez les 3 blancs fortement en neige, mêlez le tout. (Le sucre se cuit avec le lait.)

Mettez le tout dans un plat profond ou dans une forme avec un peu de beurre frais par-dessus et mettez une demi-heure au four d'où il ne faut le retirer qu'au moment de servir.

Recette de Lina Sand

Très agréable lorsque le pudding est bien refroidi.

Plum-Pudding

Recette anglaise

1/2 livre de graisse de bœuf
1/2 livre de mie de pain rassis
1/2 livre de cassonade
1/2 livre de raisins de Malaga
1/2 livre de raisins de Smyrne
1/2 livre de raisins de Corinthe
4 onces (125 grammes) de citrons confits
4 onces (125 grammes) d'oranges confites
2 bonnes cuillerées de farine
1/2 once (environ 15 grammes) d'épices
4 œufs frais
2 verres à vin de Bordeaux de cognac ou de rhum
des amandes émondées pour décorer

Il faut que la graisse de bœuf soit hachée très fine, qu'il n'y reste ni sang, ni peaux ; alors on la met dans un bassin, on remue avec une cuillère en bois, en tous sens pour voir s'il n'y reste rien de malpropre ; puis on râpe la mie de pain rassis qu'on mêle à la graisse, on ajoute une cuillerée de sel, puis la cassonade de première qualité, on remue toujours, on met les épices.

On nettoie les raisins, on enlève les pépins des gros, les queues des petits qu'il est bon de laver.

Quand ils sont propres on les mêle au reste, avec les fruits confits coupés en petits morceaux et les deux cuillerées de farine. Délayez dans une assiette les œufs jaunes et blancs ensemble que vous verserez avec le reste.

Quand tout est bien mélangé, versez le rhum. On graisse bien la forme avec du beurre et l'on y verse le plum-pudding. Enveloppez la forme d'un linge blanc que l'on attachera en dessus et mettez dans l'eau bouillante pendant 6 heures. L'eau doit bouillir tout le temps. Après cuisson démoulez le plum-pudding, après 1/4 d'heure dressez-le sur un plat et décorez-le d'amandes émondées et coupées à l'avance.

Si l'on veut y joindre une sauce il suffit de faire fondre du beurre et d'y ajouter du sucre et du rhum. Se mange froid et se conserve longtemps.

Recette d'Aurore Sand

L'emploi de la graisse animale ne doit pas vous rebuter car c'est un usage ancestral, d'ailleurs encore en vigueur dans certains pays européens (Espagne, Angleterre), qui donne de bons résultats.

Rhum. *Auriez-vous encore la bonté de joindre à l'envoi de l'épicier, 6 bouteilles de bonnes liqueurs à votre choix. Mettez pourtant de l'huile de rose pour moi et du rhum pour Casimir.*
G. S. à Louis-Nicolas Caron. 1826.

Nous avons retrouvé une recette d'huile de roses que George Sand commande dans ce texte. Cette huile de roses, contrairement à son nom, ne contient aucun corps gras mais se différencie principalement des autres eaux de roses par un ajout important de sucre. C'est donc en quelque sorte une eau de roses distillée et fortement sucrée.
Pour six pintes d'eau-de-vie, vous prendrez six livres de roses effeuillées, surtout des roses simples ; vous les mettrez infuser pendant huit jours dans une cruche avec les six pintes d'eau-de-vie et une pinte d'eau, et ferez votre distillation ; pour le mélange, faites fondre quatre livres de sucre dans trois pintes d'eau ; pour donner de la couleur, servez-vous de cochenille préparée, mettez-la dans votre liqueur, et passez-la à la chausse.
D'après *Le Cuisinier royal,* 1838.

Pudding Exquis

250 grammes de moelle de bœuf
250 grammes de sucre en poudre
250 grammes de mie de pain
125 grammes de raisins de Corinthe
125 grammes de raisins de Smyrne
125 grammes de raisins de Malaga
125 grammes de cédrat confit coupé en filets
6 œufs entiers
4 petits verres de rhum
un peu d'écorce de citron râpée
un peu d'écorce d'orange râpée
3 cuillerées de confiture d'abricots ou de prunes

Il faut mettre tout ceci dans un grand saladier et bien les mélanger avec une cuillère jusqu'à ce que ce soit comme une bouillie.
Il faut beurrer un moule, le saupoudrer de mie de pain et verser dedans cette pâte, qu'on fera cuire au bain-marie pendant 6 ou 7 heures en faisant toujours bouillir l'eau. Mettre dessus un couvercle avec un peu de feu.

Cette pâte préparée quelques heures avant de la faire cuire est toujours bien meilleure. Il faut hacher la moelle de bœuf. Avoir le soin de laver les raisins à plusieurs eaux, ils sont pleins de terre.

Recette de Solange Clésinger

Pudding Gantois

Pour 15 à 20 personnes.
Mettez dans une terrine pour 75 centimes de biscottes ou biscuits. 200 grammes de cassonade, 200 grammes de macarons. Humectez le tout avec une pinte de lait froid qui aura été bouilli. Après que les biscottes sont trempées, remuez avec une cuillère de bois.

Ajoutez-y alors 200 grammes de raisins de Corinthe, 200 grammes de raisins de Malaga épépinés, 200 grammes de beurre frais. Une pincée de cannelle en poudre, des écorces de melon confit hachées, 5 centilitres d'eau-de-vie ou de rhum, une pincée de sel fin.

Mettez-y 18 à 20 œufs (suivant la grosseur) et les y mettez par 2 ou trois pour bien délayer. Versez cette préparation dans un moule bien beurré et faites cuire au bain-marie.

Recette d'Aurore Sand

PUDDING AU CHASSEUR

«Exellent»

250 grammes de sucre cassonade
250 grammes de graisse de bœuf hachée très fin
250 grammes de farine de froment
250 grammes de pommes de terre râpées
250 grammes de carottes râpées
250 grammes de raisins sans pépin (Smyrne)
250 grammes de raisins de Corinthe
1 cuillerée à café de gingembre en poudre
1/2 noix de muscade râpée
2 cuillerées à café de cannelle en poudre
quelques clous de girofle pilés
le zeste de 3 ou 4 citrons râpés ou pilés très fin

Mêlez le tout sans autre liquide en tournant pendant une demi-heure pour le rendre léger. Prenez un linge, frottez-le au milieu d'un peu de beurre, saupoudrez de farine, versez votre pâte dans ce linge. Serrez-le très fort et mettez-le à l'eau bouillante.

Laissez l'y pendant 3/4 d'heure et au moment de servir, plongez le gâteau encore dans le linge dans l'eau froide, mais rien que le plonger.

Retirez la pâte du linge ; mettez sur le plat, servez chaud avec une sauce faite de rhum, eau-de-vie, un peu d'eau et un peu de farine. Verse la sauce sur le pudding.

Recette d'Aurore Sand

Un pudding très condimenté et très énergétique pour le petit déjeuner du chasseur avant son départ pour l'aventure cynégétique.

Pudding aux Pommes

«Très bon mais trop riche, supprimer le beurre»

À déguster froid de préférence. Contrairement à ce que conseille Aurore Sand, il est bon de garder les mêmes proportions de beurre car c'est lui qui permet la bonne tenue du pudding une fois refroidi.

Pelez des pommes, mettez sur le feu, quand elles sont cuites, passez au tamis. Prenez une demi-livre de cette compote, mêlez-y la pelure râpée d'un citron, ajoutez ensuite un bon quart de beurre battu en crème et remuez bien le tout. 9 jaunes d'œufs que vous mêlez avec du sucre à volonté.

En dernier lieu 6 blancs d'œufs battus fortement en neige. Mettez à la forme qui doit être garnie d'une légère pâte feuilletée, une forme unie est bonne, mais une forme avec buse au milieu est préférable. Mettre au four 3/4 d'heure environ.

Recette d'Aurore Sand

Sauce au Vin

Sorte de sabayon biscuité et onctueux.

Pour accompagner tous les poudings. Prenez un verre et demi de vin blanc, une assez grande quantité de sucre (ou sucre à volonté), le zeste et le jus d'un citron, un morceau de cannelle, huit œufs entiers.

Cassez les œufs, jetez-les (blancs et jaunes) dans une casserole contenant déjà le vin, le sucre et tous les ingrédients ci-dessus indiqués ; posez le tout sur le feu, fouettez avec le petit balai servant à battre les œufs en neige ; ne cessez pas de fouetter, jusqu'à ce que la mousse soit formée, sans jamais laisser bouillir la sauce.

Retirez du feu, mettez dans une terrine un demi-verre de rhum, jetez la sauce par-dessus, continuez à la battre. Servez chaud avec toutes les variétés de poudings.

Recette d'Aurore Sand

Entremets

Châtaignes

Il y a deux manières de faire cuire les châtaignes, soit avec la pelure, soit sans la pelure.

1re manière : on jette les châtaignes telles quelles dans un pot de fonte rempli d'eau bouillante ; on laisse bouillir jusqu'à ce que la châtaigne soit cuite, ce que l'on reconnaît au bout de 20 à 25 minutes en écrasant une châtaigne entre les doigts, si elle se laisse écraser et produit une pâte farineuse, elle est cuite. À ce moment, vous retirez l'eau et laissez les châtaignes dans le pot en les recouvrant avec un vieux torchon, de manière à ce que la vapeur ne s'échappe pas.

On laisse ainsi le pot sur le feu pendant un quart d'heure environ. Les châtaignes du fond seront peut-être brûlées, mais les autres seront bonnes.

2e manière : vous enlevez la première enveloppe brun foncé de la châtaigne, il ne reste plus que le tan.

Vous plongez ces châtaignes dans de l'eau bouillante pendant quelques minutes, elles sont blanchies.

Vous enlevez le tan avec les doigts ce qui devient facile, puis vous mettez les châtaignes dans un pot de fer avec un vieux torchon dessus, bien bourré comme je l'ai dit plus haut. Au bout d'une bonne demi-heure vous les videz dans une corbeille recouverte d'un linge blanc et vous écrasez les châtaignes dans un bol de lait froid sans sucre. Il n'y a aucun régal au monde qui vaille celui-là.

Pour savoir si les châtaignes sont cuites, vous soulevez légèrement le torchon et goûtez une châtaigne.

Recette de Borie
Manuscrit de Lina Sand

« Tan » est ici employé dans son acceptation en patois limousin et désigne l'enveloppe intérieure de la châtaigne :
Il ne faut pas oublier le rôle primordial joué par la châtaigne dans notre alimentation pendant des millénaires. Elle fut longtemps le seul féculent accessible pour les populations des régions montagneuses de la Méditerranée qui ne pouvaient produire de céréales, et, encore récemment, elle était le pilier de l'économie corse ou cévenole. La châtaigne fut progressivement remplacée par la pomme de terre à partir de la fin du XVIIIe siècle.
La cuisine actuelle de Nohant recèle encore de merveilleux pots troués à châtaignes.

La carotte est naturellement si douce et si sucrée que la tentation est grande d'accentuer cette caractéristique et de la transformer en dessert. Cet usage réapparaît d'ailleurs de façon sporadique sous des formes diverses : flan, soufflé, gâteau.
Cette julienne de carottes candies servie en guise de petits fours surprendra sans aucun doute vos invités.

Carottes Sucrées

Coupez les carottes en filets comme pour une julienne, mettez-les dans une casserole vers quatre heures avec pas mal d'eau, un peu de beurre, un bon morceau de sucre et du zeste de citron râpé, faites bouillir tout ensemble, faites attention qu'à la fin, quand il n'y aura plus d'eau les carottes ne brûlent pas.

Si elles n'étaient pas assez candies et comme transparentes ajoutez à la fin un peu de sucre en poudre.

Recette de Muratori
Manuscrit de Lina Sand

Les méthodes de raffinage du sucre n'étaient pas toujours parfaites. Aussi avait-on souvent recours à une nouvelle clarification domestique : on mêlait un blanc d'œuf au sucre fondu, portait à ébullition puis passait au travers d'une étamine afin de finir d'ôter toute impureté.
Le frouloir est un instrument en buis, long de trente centimètres, dont la disposition particulière des cannelures favorise la formation d'une mousse abondante et légère.

Crème au Candi d'Œufs, à la Vanille, au Chocolat

Dans cette manière d'opérer, la crème ne va pas au feu, et les liquides s'ajoutent au sucre et aux jaunes d'œufs. Exemple : Crème à la vanille : un litre de crème double, 18 jaunes d'œufs, une gousse et demie de vanille, un demi-litre de sucre clarifié, 3 décilitres d'eau.

Mettez dans une terrine les jaunes d'œufs, incorporez-y premièrement l'eau, puis le sucre clarifié et cuisez cet appareil, quand la cuisson est opérée, versez le tout dans une terrine et donnez-lui quelques coups de frouloir, laissez refroidir pour y incorporer la crème.

Crème au chocolat : 6 décilitres de sucre clarifié, 1 litre de crème, 3 décilitres d'eau, 18 jaunes d'œufs, une gousse de vanille, 12 onces de chocolat. Préparez le chocolat comme pour une crème ordinaire.

Mélangez l'eau aux œufs ainsi que le sucre, quand l'appareil est cuit, mélangez-le au chocolat, puis ajoutez la crème.

Recette de Lina Sand

Soufflé au Chocolat

Faites fondre dans une casserole, 4 tablettes de chocolat pour 6 personnes à peu près dans très peu d'eau. 4 cuillerées à café de fécule après que le chocolat est bien fondu, 3 cuillerées à bouche de sucre en poudre plus 4 jaunes d'œufs.

Au moment de servir, c'est-à-dire un quart d'heure avant, beurrez un moule droit et uni, vous ajouterez à la composition les 4 blancs battus en neige.

Le four pas trop chaud, 10 minutes doivent suffire, surveillez, quand le soufflé est bien monté, servez.

Recette de Lina Sand

Un excellent soufflé au chocolat, très parfumé. Utilisez de préférence un bon chocolat amer.

Crème Ferme au Chocolat

Prenez deux tablettes de chocolat ; on les râpe, on les délaye sur le feu dans une petite quantité de lait. Quand le chocolat est bien fondu, on le retire du feu, on ajoute un litre de bonne crème douce, 5 jaunes d'œufs délayés, 150 grammes de sucre ; on fait prendre la crème sur le feu, puis on la laisse refroidir.

On bat en neige un litre de bonne crème douce, on fait fondre une dizaine de feuilles de gélatine dans une fort petite quantité d'eau, on la passe dans un morceau de mousseline ou bien dans un tamis de fil de laiton ; on met la gélatine dans la crème au chocolat, on y incorpore la crème fouettée peu à peu en la remuant toujours avec une cuillère d'argent ; on met le tout dans un moule que l'on place à la cave pendant huit heures en hiver ; pendant l'été, on fait cette crème la veille du jour où l'on doit la servir, en la gardant à la cave.

Recette d'Aurore Sand

Chocolat. *Enfin chargez-le de m'apporter quelques livres de chocolat à la vanille qui soit très bon. Je n'en prends jamais en tasse. Mais toute la nuit en écrivant, j'en croque des morceaux. Je n'aime pas qu'il ait d'âcreté.*
G. S. à Mme de Saint-Aignan. 1830.

Mousse au Chocolat

On pourra servir cette mousse au chocolat accompagnée des Brisselots aux Noisettes (recette p. 192).

Faites fondre cinq tablettes de chocolat dans un verre d'eau, laissez refroidir et au moment de servir, battez 8 blancs d'œufs en neige très ferme sucrez et vanillez.

Mélangez ensuite le chocolat avec les blancs d'œufs en les soulevant et non en les tournant jusqu'à ce qu'ils soient bien mélangés et servez.

N.B. : la crème fouettée est préférable : à défaut de crème on se sert des blancs d'œufs.

Recette de Moumoutte
Manuscrit d'Aurore Sand

Suprême au Chocolat

(Crème pouvant se conserver quelques jours au frais)

Chocolat… *achetez-moi aussi 4 lb de chocolat à la vanille. Je crains que l'épicier ne m'en envoie de mauvais et je suis très difficile à cet égard.*
G. S. à Louis-Nicolas Caron. 1826.

Dans une casserole, faire fondre 125 grammes de chocolat avec 2 cuillerées à bouche d'eau. Ajouter 125 grammes de beurre fin qui doit fondre sans bouillir, retirer du feu, ajouter trois jaunes d'œufs et lorsque le mélange est froid, les trois blancs en neige. Verser la crème dans le récipient qui doit être présenté à table et la laisser reposer quelques heures au frais.

Recette de Thérèse Radan

Suprême Praliné

Un bon dessert pour les gourmands.

Se fait comme le précédent mais avec du chocolat praliné ou du pralin en poudre. Mais il ne faut mettre dans ce cas, les blancs d'œufs en neige qu'au dernier moment parce qu'ils ne restent pas fermes, comme dans le suprême au chocolat.

Recette de Thérèse Radan

Ci-dessus : pot à châtaignes de Bazaige près de Gargilesse.

Crème de Bourgogne

Faire bouillir un demi-litre de lait avec un bâton de vanille et 10 morceaux de sucre ; faire fondre dans une autre casserole un morceau de beurre auquel on ajoute 2 grandes cuillerées à bouche de farine que l'on mélange bien avec le beurre et verser le lait doucement en évitant de laisser des grumeaux.

Remettez sur le feu pour faire épaissir jusqu'à ce que ce soit comme une bouillie légère. Battre 4 œufs entiers et verser le tout en tournant pour que ce soit bien mélangé. Mettre le tout dans un moule enduit de caramel blond et le faire cuire une heure à petit feu au bain-marie et au four.

Recette de Solange Clésinger

Cette crème est en fait un flan au caramel.

> Café. *Faites-moi le plaisir de joindre aux objets que je vous ai demandés 12 lb café, 6 Martinique et 6 Moka.*
> G. S. à Louis-Nicolas Caron. 1828.

WINTER-CRÈME

Faites brûler 130 grammes de café ; quand la nuance est blonde, un peu foncée, on le moud et l'on jette dessus dix cuillerées de lait (très frais) que l'on vient de faire cuire jusqu'à ébullition ; le café moulu a été placé, pour cette opération, dans une passoire très fine ; on sucre fortement le lait après qu'il a passé sur le café.

On fait ensuite une crème avec six jaunes d'œufs, un verre de lait et de sucre ; lorsqu'elle est faite, et chaude encore, on y ajoute le lait qui a passé sur le café, et on laisse recuire le tout en remuant tout doucement, sans jamais arriver jusqu'à ébullition.

On a fait dissoudre, dans une très petite quantité d'eau bouillante, 16 grammes de gélatine, ou 8 grammes de colle de poisson, que l'on passe, après dissolution, dans un morceau de mousseline un peu serrée ; on ajoute la gélatine à la crème tandis qu'elle est encore sur le feu, mais peu avant de la retirer ; pendant ce temps on fouette vivement un demi-litre de crème fraîche (de la veille, non de plusieurs jours) ; lorsque la crème est suffisamment compacte, on y incorpore la crème au café, en continuant à fouetter. On verse le tout dans un moule que l'on pose sur la glace une heure et demie avant de servir.

On démoule au moment de servir. Cette crème peut se faire à la vanille, au marasquin, au chocolat, au curaçao, etc. Si l'on n'a point de glace, on met le moule à la cave dans de l'eau de puits, que l'on change quand la température de cette eau est trop élevée : dans ce cas on fera la crème le matin, et l'on ajoutera à la gélatine un blanc d'œuf battu en neige.

Cahier d'Aurore Sand

CRÈME COLONIALE AU CAFÉ, CHOCOLAT, VANILLE ET CARAMEL

Prenez comme ci-dessus, 130 grammes de café ; faites brûler de même, puis quand le café est d'une teinte blond foncé, faites-le bouillir dans un litre de lait aromatisé de vanille, avec deux cuillerées de caramel, pas trop brun.

Retirez du feu, laissez refroidir, versez le tout sur six jaunes d'œufs, passez au tamis ; faites bouillir un verre d'eau, versez-y la quantité de chocolat nécessaire pour en préparer trois tasses ; ce chocolat doit être pulvérisé ; remuez jusqu'à cuisson suffisante : deux ou trois bouillons suffisent, retirez du feu, mêlez le chocolat avec la crème déjà préparée, faites cuire le tout au bain-marie.

Cette crème est superfine ; on peut la simplifier en supprimant un ou deux des ingrédients qui la composent.

Cahier d'Aurore Sand

Flan à la Semoule

Un gâteau de semoule tout simple qu'il est toujours agréable de redécouvrir.

Faites cuire 5 grandes cuillerées de semoule dans un litre de lait ; laissez épaissir, retirez du feu, faites refroidir, ajoutez 4 jaunes d'œufs, une cuillerée de rhum, en remuant toujours, 125 grammes de sucre pilé (davantage, si vous préférez un gâteau plus sucré), battez les blancs d'œufs en neige, ajoutez à la préparation.

Ayez une casserole, ou bien un moule, dans laquelle vous ferez, avec 3 cuillerées de sucre pilé, un caramel blond, devant enduire tout l'intérieur du moule ; versez-y la préparation faite avec la semoule, faites cuire une heure au bain-marie ; renversez sur un plat un peu creux et servez.

Cahier d'Aurore Sand

Compote de Tiges de Rhubarbe

Pelez et coupez les tiges en morceaux, moins petits que pour le pie, faites blanchir dans de l'eau, sans sucre ni quoi que ce soit, quand c'est cuit, mettez sur le feu du vin blanc, du sucre et du zeste de citron râpé, quand ceci est chaud, jetez-y la rhubarbe cuite d'avance et laissez un peu cuire le tout ensemble — pas longtemps — cela se sert froid.

Recette de Lina Sand

Le type même du dessert d'enfance, préparé avec amour par une grand-mère, dont on garde le souvenir durant toute sa vie en se répétant que jamais plus on ne pourra déguster de chose aussi bonne...
Une recette délicieuse qui met immédiatement l'eau à la bouche car la crème fraîche ajoutée à la fin se mêle à la gelée de pommes chaudes déposée au fond du plat...

Pommes Cuites

Pelez de bonnes pommes à cuire et leur enlever « le coton », pépins, etc. Posez dans un plat allant au four (en terre) les pommes entières. Disposez autant de morceaux de sucre qu'il y a de pommes dans le fond du plat, saupoudrez de sucre en poudre et de poudre de cannelle. 2 clous de girofle pour 8 pommes, 1 cuillerée de rhum, 1 cuillerée d'eau par pomme.

Couvrez le plat hermétiquement. Faire cuire sur le fourneau environ 1/4 d'heure à 20 minutes doucement, puis au four idem.

Sortir le plat, laissez refroidir à demi. Ajouter de la crème fraîche à volonté, 1/2 ou 1 cuillerée sur chaque pomme. (Crème cuite aussi ou confiture.)

Recette d'Aurore Sand

Compote de Marrons

Faites bouillir des marrons, épluchez-les soigneusement, passez-les ou les pilez. Délayez avec du thé léger (fort donne un goût amer) et du cognac.

Sucrez avec du sucre en poudre. Préparez cette purée qui doit être assez compacte à travers la passoire et en tenant cette passoire au-dessus d'un compotier de façon que la purée y tombe en joli vermicelle.

Décorez le plat avec de la gelée de groseilles, petites cerises et fruits confits. (La gelée de groseilles est seule nécessaire comme complément de goût.)

Recette d'une bonne de Jeannette
Manuscrit d'Aurore Sand

Un dessert très fin de goût pour soirée d'hiver.

Natillas

(CRÈME CUITE)

Entremets espagnol (Grenade)

Dans une casserole, délayer à froid, une cuillerée à soupe de poudre d'amidon pour un demi-litre de lait, avec une cuillerée à soupe de sucre en poudre et on bat trois jaunes d'œufs qu'on ajoute dans la casserole on met au feu doux en tournant toujours du même côté.

Après cuisson, saupoudrer de cannelle. Servir tiède ou froid. Ou meilleur saupoudrer de sucre et le glacer au fer rouge.

Recette de la senora Carmona
Manuscrit d'Aurore Sand

Un dessert traditionnel espagnol que l'on peut encore déguster aujourd'hui dans certains petits restaurants de l'intérieur des terres, notamment dans la région de Morella, très agréable quand il est servi frais.
« Natillas » vient de « nata » qui désigne la crème fraîche en espagnol.

Doublez les proportions de thé pour obtenir un soufflé plus parfumé. Nous conseillons l'emploi des thés suivants : thé parfumé à la bergamote, thé au jasmin ou thé de Chine non fumé qui développent des arômes très agréables dans un entremets sucré.

Soufflé au Thé et Tapioca

Prenez un litre de lait que vous faites chauffer bouillant, mettez-y une cuillerée et demie (à bouche) de thé très bon ; laissez infuser environ 1/4 d'heure (le passer et ajouter 7 à 8 morceaux de sucre), puis 4 cuillerées de tapioca que l'on fait cuire dans ce liquide.

Lorsque le tapioca est assez cuit, ajoutez 4 jaunes d'œufs qu'on délaye dans le mélange, bien battre les 4 blancs en neige et les ajouter, mêler tout ensemble, beurrer un moule et mettre au four environ 20 minutes.

Recette de Nounou
Manuscrit d'Aurore Sand

Le pourim est une fête traditionnelle juive où la communauté commémore l'héroïsme d'Esther qui, en devenant reine, sauva son peuple persécuté. Cette joie collective se manifeste par une allégresse alimentaire débordante où il est de coutume d'offrir pâtisseries et confiseries à ses proches.
Ce riz au lait d'amande est donc sans aucun doute l'un de ces présents symboliques de la fête de Pourim, surnommée aussi « la fête des gâteaux ».

Pourym

Riz à la juive

1 livre d'amandes douces
12 amandes amères pilées ensemble
1/2 livre de riz
3/4 de livre de sucre
1/2 gousse de vanille

Il faut détremper les amandes dans un litre d'eau, les presser une heure après dans une serviette et mettre ce premier lait de côté. Remettre ces mêmes amandes à tremper une seconde fois dans un litre d'eau et faire crever le riz dans ce second lait, qui une fois épuisé est remplacé par le premier lait ; ajouter aussi le sucre et la vanille et on laisse finir la cuisson. Avoir soin de ne pas cesser de remuer avec une cuillère de bois neuf et ne pas quitter une minute. On sert froid, saupoudré de cannelle.

Recette de Sully Levy, acteur de l'Odéon
Manuscrit d'Aurore Sand

Rice-Pap

Faites crever du riz dans du bon lait ; si vous voulez y laisser la crème, ce sera au mieux, avec sucre blanc, et un petit bâton de cannelle ou cannelle en poudre.

Cette pap ou bouillie ne doit être ni trop sèche ni trop liquide ; elle doit, tout juste, pouvoir être versée sur un plat en aidant d'une cuillère. Quand le riz est crevé, on peut ajouter un morceau de beurre frais. Mais avant de mettre cela sur le plat, mêlez-y quelques brins de safran, une pincée, pas trop ce serait amer. Il faut que cela ait la nuance du soufre.

Versez sur un plat et ne servez pas chaud. C'est le seul mets que je sache qui ne se serve ni chaud ni froid ; le froid doit seulement être cassé, disait notre cuisinière flamande. On met cette pap sur le plat une heure avant le dîner.

Au moment de servir, saupoudrez de sucre blanc râpé ; on saupoudre aussi avec de la cannelle en poudre.

Recette de Lina Sand

Rice-pap ou bouillie de riz.

Riz au Plat à la Vanille

Prenez 300 grammes de riz que vous faites blanchir cinq minutes dans de l'eau bouillante ; faites égoutter, faites bouillir 15 décilitres de lait dans une casserole pouvant contenir 3 litres ; quand le lait bout, mettez le riz dans la casserole, ajoutez 2 hectos de sucre, 40 grammes de sucre vanillé ; faites cuire pendant une heure sur feu très doux, dessus et dessous, et évitez que le riz attache ; changez de casserole, si le riz était attaché ; cassez trois œufs dans le riz et mêlez bien avec une cuillère de bois.

Prenez un moule uni, beurrez-le bien, saupoudrez-le avec de la chapelure, placez le riz dans le moule avec du feu dessus et dessous, faites cuire pendant 30 minutes ; démoulez et servez.

On sert avec ce gâteau une sauce faite avec du vin blanc, du sucre et des jaunes d'œufs bien battus.

Cahier d'Aurore Sand

Vanille. *Jacques t'enverra du miel de Villebon près Palaiseau,* c'est un beurre. *Il va m'envoyer ici ma provision de vanillle qui ne me sert à rien là-bas et qui te servira à Nohant.*
… ménage-la, nous n'en trouverons jamais de pareille dans le commerce.
G. S. à Lina Sand. 1866.

Pâtes, Pains et Gâteaux

Beignets - Pâte à frire

« Délicieux »

5 cuillerées à bouche de farine, un verre d'eau, une bonne cuillerée à bouche d'eau-de-vie, une pincée de sel.

Délayez un jaune d'œuf dans la pâte faite et 2 blancs en neige au moment de mettre la friture. Faire la pâte au moins une heure et 1/2 avant. On met tous les morceaux imbiber dans la pâte et on les retire pour mettre dans la graisse pas trop chaude.

Recette de Lina Sand

Crêpes

Une excellente recette de pâte à crêpes à condition que quelqu'un se dévoue pour les faire pendant que les autres les dégustent car elles doivent être mangées sitôt faites.

Pour 10 personnes.

Mettez dans un plat creux 1/2 livre de farine de gruau. Cassez 6 œufs, 3 œufs entiers et gardez 3 blancs pour battre en neige ensuite. Ajoutez 2 cuillerées de cognac (entremets), un zeste râpé, une cuillerée de sucre en poudre, une pincée de sel.

Délayez, ajoutez peu à peu du lait (1 litre que l'on aura fait tiédir) et dans lequel on aura fait fondre 250 grammes de beurre frais.

Remuez vivement jusqu'à ce que la pâte forme une bouillie claire. Battez ensuite en neige les trois blancs d'œufs, ajoutez-les à la pâte et mélangez légèrement au moment de faire les crêpes.

P.S. : on peut ajouter une cuillerée d'huile d'olive, mais pas d'autre huile.

Recette de Nini Urbain

Sur la table du goûter un plum-pudding, des croquets de Paris (au fond) et des tartelettes aux amandes (à droite).

Pâte Brisée

500 grammes de farine
350 grammes de beurre
4 décilitres d'eau
15 grammes de sel

Rassemblez la farine, faites la fontaine, mettez-y le beurre, l'eau, le sel, incorporez la farine avec beurre et eau ; fraisez la pâte deux ou trois fois, moulez-la, laissez-la reposer 1/4 d'heure.

Pour la faire douce
500 grammes de farine
350 grammes de beurre
150 grammes de sucre
3 jaunes d'œufs
2 décilitres d'eau
10 grammes de sel
fraiser 2 fois en été
3 fois en hiver

C'est-à-dire, faire passer petit à petit la pâte sous la paume des deux mains en la poussant devant soi pour la rendre lisse et compacte.

Recette d'Aurore Sand

Pâte Sablée

250 grammes de farine
200 grammes de beurre
120 grammes de sucre en poudre
30 grammes d'eau
2 œufs

Mélangez la farine et le sucre. Faites une fontaine, versez-y l'eau et les jaunes d'œufs. Ajoutez le beurre concassé en morceaux gros comme une noix.

Fraisez légèrement. Lorsque tout est amalgamé, laissez reposer 1/2 heure.

Recette d'Aurore Sand

Bettleman

« Très bon »

Sucre. *Mornot m'a apporté ce matin 7 pains de sucre de 12 lb chaque qui coûtent 120 F. Reste à savoir combien cela fait de sucre et combien coûte la livre. J'en aurais bien pour 10 ans à le trouver. J'ai payé son mémoire de chandelle : En tout 180 F.* G. S. à Casimir Dudevant. 1829.

Prenez trois petits pains au lait, coupez-les en petits carrés. Versez dessus du lait chaud pour les amollir sans les écraser. Prenez un plat allant au four, frottez-le de beurre frais, garnissez-le d'une couche de ces petits carrés trempés dans le lait ; semez par-dessus une couche d'amandes mondées et pilées, de raisins de Smyrne et de Corinthe mélangés, remettez une couche de pain puis encore une de raisins et d'amandes.

Quand le plat est rempli, cassez 6 œufs entiers.

Battez-les avec du sucre pilé (200 à 250 grammes), un verre de rhum ou de kirsch, 1 litre de lait et un peu de cannelle en poudre. Versez le tout sur les pains, mais sans remplir tout à fait le plat. Mettez au four et laissez de 3/4 d'heure à 1 heure jusqu'à ce que le contenu ne soit plus liquide.

On retire le plat quand le bettleman est bien doré ; on sert chaud. Saupoudrez de sucre en poudre dans le plat même qui a servi à la cuisson.

Recette d'Elisa Lauth
Manuscrit d'Aurore Sand

Biscuit

Prenez huit œufs, séparez les blancs des jaunes; mettez seulement six jaunes dans un grand saladier; pesez 500 grammes de sucre en poudre, 250 grammes de belle farine, râpez le zeste de deux citrons. Joignez par petites quantités le sucre pilé aux œufs, que vous battez comme s'il s'agissait de préparer un lait de poule, puis le citron râpé, un peu de sel, et enfin la farine, toujours par petites quantités. Si l'on mélangeait tout à la fois, la pâte ne serait pas assez travaillée, et le mélange incomplet.

Après avoir battu ces ingrédients une demi-heure en tout, avec une cuillère de bois, battez les huit blancs d'œufs en neige, aussi ferme que possible, incorporez cette neige peu à peu, en l'ajoutant par petite quantité à la pâte; beurrez un moule avec du beurre très frais, versez-y la pâte; mettez aussitôt au four.

On indique en général, pour la cuisson des biscuits, un four ayant la chaleur qu'il conserve lorsqu'on vient d'en retirer le pain; cette indication est un peu vague, et à peu près inintelligible aujourd'hui, puisqu'il est peu de maisons dans lesquelles on prépare le pain; nous lui substituerons l'indication suivante, laquelle servira non seulement pour le biscuit dont nous nous occupons, mais pour tous les gâteaux dont la cuisson est indiquée dans les mêmes termes. Une heure avant de commencer la manipulation de la pâte, on met le feu au four; on retire les tisons non encore consumés au moment où l'on ajoute la neige à la pâte; on enfourne, et l'on n'ouvre pas le four avant dix minutes.

À dater de ce moment, on inspecte de temps en temps la cuisson; quand un fétu de paille enfoncé dans le biscuit en ressort complètement sec, on laisse le biscuit encore pendant trois ou quatre minutes, puis on le retire; on laisse refroidir dans le moule; quand il n'est plus que tiède, on secoue, on détache, s'il le faut, avec la lame d'un petit couteau de dessert, on renverse sur une assiette.

On recommande parfois de saupoudrer avec du sucre l'intérieur du moule beurré; cela n'a d'autre résultat que de brunir outre mesure l'extérieur du biscuit et de l'attacher au moule; celui-ci doit être rempli à moitié seulement, le biscuit devant lever.

Cahier d'Aurore Sand

Vin de dessert. *Vous devriez bien me dire à quel meilleur marché possible je pourrais avoir dans votre pays une feuillette de vin de dessert comme vous m'en avez fait avoir une.*
C'est du paille, du muscat ou du Lunelle (sic) fait chez vous, je crois, ou fourni par un de vos amis. Il m'en faudrait une centaine de bouteilles. Si vous êtes toujours à même de me le faire avoir bon, dites-moi le prix tout rendu chez moi...
G. S. à Jules Boucoiran. 1860.

La farine de gruau est très énergétique car elle provient uniquement de la mouture de la partie centrale du grain. On peut encore trouver ce type de petits pains au gruau chez certains boulangers.

Pains de Gruau

Levain : prenez 20 grammes de levure que vous faites dissoudre dans un litre d'eau tiède et puis délayez 500 grammes de farine ce qui vous donnera un levain très clair. Laissez fermenter pendant 4 à 5 heures et pétrissez, en ayant soin de faire une pâte très molle.

Lorsque vos petits pains seront tournés, laissez lever avant de mettre au four.

Recette de tante Mimi Ferra
Manuscrit de Lina Sand

Une excellente recette de brioche mousseline.

La Brioche

500 grammes de farine
375 grammes de beurre
6 œufs
10 grammes de sel
25 grammes de levure fraîche
10 grammes de sucre
100 grammes d'eau tiède

Dans une terrine, délayez la levure dans l'eau tiède et ajoutez de la farine de façon à obtenir une pâte fluide. Laissez monter ce levain, pour cela recouvrez la terrine avec une serviette et portez-la dans une chambre tiède pendant 2 heures au moins.

Ajoutez alors, le reste de la farine, le beurre, le sel et les œufs un à un. Pétrissez le tout sur la planche. Enveloppez la boule ainsi obtenue dans une serviette et laissez-la reposer quelques heures dans une pièce tiède.

Portez dans un moule que vous remplissez à demi et faites cuire environ 1 heure dans un four tiède.

On peut cuire la brioche sans se servir de moule. Il est classique de faire alors deux boules de pâte de grosseurs différentes. On surmonte la grosse avec la petite. On fait quelques incisions sur la boule inférieure. On dore à l'œuf et on porte au four.

Recette d'Aurore Sand

Gâteau Vichy

Faites-vous apporter dans la salle à manger ou office ce qui suit :
3 œufs entiers très frais ; le poids de trois œufs de sucre pulvérisé ; le poids de deux œufs de fine fleur de farine ; la moitié d'un citron ; une terrine de faïence ou un saladier moyen ; un grand bol ; un fouet ou une batteuse à œufs ; une râpe ordinaire ; une fourchette et une cuillère d'argent ; un moule.

Commencez par râper dans le saladier le zeste du citron, cela fait, exprimez le jus du fruit dans la râpure ; cassez vos œufs au-dessus du bol dans lequel vous laissez tomber les blancs, et versez les jaunes dans le saladier.

Délayez peu à peu les jaunes avec le sucre pulvérisé ; battez-les, pour obtenir une pâte bien homogène en écrasant les grumeaux de sucre. Puis passez aux blancs d'œufs que vous battez en neige ferme.

Prenez une cuillerée de ces blancs et mêlez à la pâte du saladier en délayant avec la fourchette. Le tout étant bien amalgamé, prenez une cuillerée de farine, saupoudrez-en la pâte du saladier et incorporez-la également dans la pâte, toujours à l'aide de la fourchette.

Vous ajoutez ensuite une nouvelle cuillerée de blancs d'œufs en opérant de même, puis une cuillerée de farine, et ainsi de suite jusqu'à la fin. Prenez un moule en cuivre étamé avec rebord évasé de 3 à 6 centimètres de hauteur et munis de deux anneaux extérieurs.

Avec les proportions que je viens de donner, on remplit à la hauteur de 3 centimètres un moule mesurant dans le fond 20 centimètres de diamètre. Le moule étant légèrement beurré et saupoudré de sucre en poudre, y verser le mélange et mettre au four de température moyenne. Le gâteau doit monter et doubler de hauteur. La cuisson exige à peu près 3 quarts d'heure.

Recette de Lina Sand

Tisane de Champagne. *Je voudrais avoir ici un petit quart de vin blanc ordinaire, bon et pas cher, comme on dit toujours, pour mon usage personnel. Plus de 25 bouteilles de tisane de Champagne, légère et pas chère aussi, mais* vraie.
G. S. à Henri Arrault. 1866.

Dans les vins blancs réputés prend place la tisane de Champagne, version tranquille de la modeste tisane mousseuse que l'on a rencontrée dès les débuts des vins de Champagne effervescents. En 1830, c'est principalement la Côte d'Avize qui fournit ce vin non mousseux, cette tisane de Champagne que le médecin conseille dans les embarras de la vessie, qui supporte l'eau, et offre, par le mélange, un rafraîchissement des plus agréables. Plus avant dans le siècle, elle est souvent faite avec des bas-vins ou des trop-de-vins, mais cela ne nuit pas à sa réputation puisqu'en 1866 Prosper Mérimée la conseille à son ami Panizzi.
D'après François Bonal. Le livre d'or du Champagne.

Fruits. Hier j'ai reçu ta lettre à temps. Jacques (le jardinier) allait vous expédier 150 abricots de notre jardin. Ces deux arbres en plein vent nous en ont donné plus de 500, et comme ils étaient tout aussi beaux que ceux qu'on trouve au marché, je vous les envoyais quand tu m'as écrit que vous en vendiez. La grêle ne vous a donc pas tout pris ? Si votre jardin était ici, vous feriez de belles affaires. Jacques a vendu 15 F l'autre jour la cueille d'un petit prunier, mauvais fruit que nous ne voulions pas manger. Nous aurions fait 40 ou 50 F de nos deux abricotiers si nous n'avions préféré les donner et les manger. Et on n'a pas la peine d'aller les vendre. A tout instant on vient demander à acheter pour conduire à Paris. Chose plus bizarre, nos prunes ont été achetées pour aller à Londres. Les milords vont faire leurs choux gras de ces fruits dont nos domestiques ne veulent pas. C'est bien fait, pourquoi sont-ils anglais ?
G. S. à Lina Sand. 1865.

Le Pain d'Attila

50 grammes de biscuits finement pilés
150 grammes de fruits confits variés et coupés gros
50 ou 100 grammes d'amandes émondées et pilées
25 grammes de coco râpé
3 grosses cuillerées à café de confiture d'abricots
125 grammes de sucre en poudre
2 œufs, dont un blanc en neige
un demi-zeste de citron haché fin
une demi ou une pomme entière crue, coupée en morceaux fins
1 cuillerée à café de vanille en poudre

Mettre les ingrédients dans un récipient, travailler et ajouter le blanc en neige. Verser dans un moule beurré, garni, au fond, d'un papier beurré. Cuire à four moyen 40 minutes. Démouler chaud.

Recette de Lina Sand

A droite : à Nohant, sauteuses, casseroles, bassinoires et bassines à confitures étaient toutes en cuivre, brillantes comme des miroirs.

Pain d'Épice

250 grammes de farine
1 cuillerée à café rase de bicarbonate de soude
(se trouve en pharmacie ainsi que l'extrait d'anis)
une tasse de lait
150 grammes de sucre
125 grammes de miel

Quelques gouttes d'anis liquide ou une cuillerée à café d'anis en poudre, à moins qu'on préfère 2 cuillerées à bouche de confiture d'oranges ou des amandes. Mettre dans une terrine la farine et le bicarbonate.

Faire chauffer le lait en y fondant le sucre puis le miel, ajouter l'anis si vous l'aimez et délayer la farine en versant peu à peu ce liquide. La pâte obtenue reste liquide et blanche. Beurrer généreusement un moule qui ne doit être rempli qu'à moitié.

Cuire 1 h à 1 h 1/4 à four moyen, démouler brûlant et ne pas manger avant le lendemain. Se conserve.

Recette de Thérèse Radan

Excellente recette d'un pain d'épice très mœlleux.

Pains Fondants

(Bâle)

1/2 livre de farine
1/2 livre de sucre
1/2 livre de beurre

Une main d'amandes moulues mais pas pilées. Faire une masse et bien la travailler et au dernier moment y incorporer 7 blancs d'œufs battus en neige. Graisser de petites formes sans côtes aux trois quarts remplies ; cuisson au four chaud, couleur brune.

On peut y mettre des raisins de Smyrne ou des fruits confits coupés en petits morceaux.

Recette d'Aurore Sand

Une recette dans le même esprit que celle du quatre-quarts.

Lina Sand sur le seuil de Nohant.

Gâteau aux Épices

« Bon, fort »

125 grammes de beurre
300 grammes de sucre
4 œufs
350 grammes de farine
1 sachet de levure d'Alsace Ancel
60 grammes de cacao
1 cuillerée à thé de clous de girofle broyés
environ 3 grammes
cannelle une cuillerée à café
1/2 noix muscade râpée
1/4 de litre de lait

Réduisez le beurre en crème, ajoutez le sucre et les jaunes. Travaillez en mousse ; ajoutez la farine tamisée avec la levure, le cacao et les épices en alternant avec le lait. En dernier lieu les blancs battus en neige ferme.

Versez cette pâte dans un moule bien beurré et faire cuire à four modéré, d'une heure à 1 heure 1/2.

Recette de Lina Sand
Note d'Aurore Sand

Bonne recette d'un gâteau très aromatisé aux épices.

Gâteau au Pain Noir

Coupez un pain noir en tranches que vous faites sécher au four ; quand le pain est bien sec, pilez-le dans un mortier de marbre ou de pierre ; mettez cette chapelure dans un bocal bien fermé.

Pour faire un gâteau, prenez 160 grammes de cette chapelure, 100 grammes d'amandes douces et quelques amandes amères mondées et pilées, 10 jaunes d'œufs, dont les blancs seront plus tard battus en neige, 160 grammes de sucre pilé, une petite cuillerée à café de cannelle en poudre, un peu de clous de girofle pilés, des fruits confits en quantité plus ou moins considérable (de 40 à 80 grammes) hachés menu.

Jetez 8 cuillerées à bouche de rhum ou de vin rouge sur la chapelure ; laissez reposer pendant une heure ; ajoutez tous les ingrédients ci-dessus indiqués, et en dernier lieu le zeste d'un demi-citron râpé ; mélangez le tout de façon à former une pâte bien

Fruits confits… *veuillez m'apporter quelques boîtes de pistoles, brignoles et fruits confits pour le dessert.*
G. S. à Louis-Nicolas Caron. 1828.

« Pistoles » ou « brignoles » : pruneaux originaires de la ville de Brignoles (Var).

homogène, ajoutez les blancs d'œufs battus en neige; beurrez un moule, saupoudrez-le de chapelure de pain noir; faites cuire soit au four, soit au bain-marie; dans ce dernier cas le moule doit être muni d'un couvercle; la cuisson au bain-marie dure une heure et demie pour le moins.

On peut ajouter du chocolat en poudre, en supprimant un poids égal de chapelure. On peut servir ce gâteau chaud avec une sauce de plum-pudding, ou froid, saupoudré de sucre, ou glacé; il offre l'avantage de se conserver frais pendant quinze jours, et de pouvoir par conséquent être préparé à l'avance.

Cahier d'Aurore Sand

KUGELHOPF

«Très fin; il faut quelque expérience pour la réussir»

Mettez sur la table:
1 livre de farine
6 jaunes d'œufs
3/4 de livre de beurre

Tournez dans une terrine le beurre en mousse, ajoutez-y par cuillerée la farine, puis un œuf, un peu de lait de temps en temps mais surveillez-vous, car c'est le lait qui donne la consistance voulue et finale.

Il faut continuer à tourner; à mesure que vous ajoutez soit un œuf, soit un peu de farine (il faut tourner une bonne demi-heure). Vous achetez pour 10 centimes de levure délayée dans 3 ou 4 cuillerées de lait. (Prenez garde de ne pas abuser du lait pendant le travail afin que la pâte ne devienne pas trop liquide, elle doit être légère.)

On remarquera qu'on la tourne avec une cuillère en bois et qu'on ne la travaille pas à la main. On ajoute un peu de kirsch et de raisins de Smyrne à la fin. Ayez de préférence une forme en terre cuite (mode d'Alsace), beurrez-la, accrochez-y dans le fond et dans les côtés, des amandes épluchées et fendues.

Le côté étant plat adhère mieux à la forme. Enfournez dans un four convenablement chaud et n'ouvrez pas avant un quart d'heure que par une

Ce type d'entremets à pâte levée, d'origine d'Europe centrale ne fut introduit en France qu'à partir de la seconde moitié du XVIIIe siècle et permit la propagation de l'utilisation de la levure de bière.

petite fente pour vous rendre compte s'il se dore, et laissez cuire une heure 1/4 à 1 h 1/2 selon que l'on désire la croûte épaisse.

Recette de tante Mimi Ferra
Manuscrit d'Aurore Sand

Pain au Lait

2 livres de farine
2 cuillerées de levure
2 chopes de lait

Arranger la farine dans une écuelle, faire une petite pâte à lever avec la levure et un peu de lait, laisser monter cette petite pâte jusqu'à ce qu'elle retombe, puis faire le tout avec le restant de la levure ; laisser lever le tout puis dresser sur un plateau, garder encore un peu au chaud, mettre au four sur des briques et laisser cuire. On peut ajouter dans le lait tiède un peu de beurre.

Recette d'Aurore Sand

Tourte Fondante

Prenez 500 grammes de beurre frais, 8 œufs, 500 grammes de fécule, 500 grammes de sucre, du zeste de citron râpé en quantité plus ou moins considérable.

Frottez le beurre avec une cuillère de bois jusqu'à ce qu'il forme une sorte d'écume ; ajoutez-y un œuf entier, deux cuillerées à bouche de fécule, deux cuillerées à bouche de sucre pilé passé au tamis, mélangez bien le tout, continuez de la sorte jusqu'à ce que vous ayez employé tous les œufs, le beurre et la fécule dont les quantités ont été ci-dessus indiquées.

Battez ensuite le tout pendant une heure au moins ; beurrez une tourtière, mettez-y la pâte ; mettez dans un four modérément chauffé, laissez-y la tourte pendant une heure au moins.

Cahier d'Aurore Sand

Biscuits d'Amandes

On prend 125 grammes d'amandes douces, on les émonde, on les pile dans un mortier (de marbre ou de porcelaine, si c'est possible) en ajoutant de temps en temps une petite cuillerée de sucre pilé pour éviter que les amandes se convertissent en huile ; quand elles sont bien pilées, on les place dans une terrine, on y met 36 grammes de farine, 3 jaunes d'œufs, 125 grammes de sucre en poudre, et l'on bat le tout pendant un quart d'heure pour former une pâte bien homogène.

On bat en neige 4 jaunes d'œufs [sic], que l'on ajoute au dernier moment. On a préparé de petites caisses en papier, légèrement beurrées à l'intérieur, ayant 2 à 3 centimètres de profondeur, longues comme l'index et presque aussi larges que longues.

On y place la pâte, on la saupoudre avec du sucre mélangé de farine, on les met dans un four très doux, on les retire dès que les biscuits ont une bonne couleur. On a ajouté un certain nombre d'amandes amères aux amandes douces employées pour faire ces biscuits.

Cahier d'Aurore Sand

Aurore Sand.

Gâteau d'Amandes

Prenez une demi-livre d'amandes douces émondées, pilez au mortier avec une demi-livre de sucre, zeste de citron, une pincée de sel, un demi-quarteron de fécule de pommes de terre, 4 œufs entiers et 2 jaunes, fouettez deux blancs que vous mêlez avec.

Quand le tout est bien pilé ensemble, beurrez un moule à gâteau de riz ou une casserole, garnissez le fond d'un rond de papier beurré et le tour ; versez votre appareil dedans et faites cuire à un four modéré. Renversez au moment de servir.

Recette de Lina Sand

Nappes et serviettes au chiffre de George Sand sont exposées dans sa petite maison de Gargilesse devenue un musée. La recette du pain d'épice très moelleux se trouve en page 183.

Gâteau mi-Brioche mi-Savarin

Faire un levain la veille avec 12 grammes de levure de bière et 125 grammes de farine qu'on mouille avec un décilitre de lait chaud. Le lendemain matin ajouter à ce levain 375 grammes de farine, deux œufs entiers, un décilitre de lait chaud, bien mêler puis incorporer 325 grammes de beurre manié, un œuf entier, 120 grammes de sucre en poudre, 10 grammes de sel, un peu de vanille en poudre, des raisins secs ou des fruits confits, bien mêler et incorporer successivement jusqu'à 6 œufs en tout, entiers et en mêlant après chaque œuf. Laisser lever puis cuire au four dans un moule à pain après avoir saupoudré le moule et le gâteau d'amandes coupées ou hachées.

En sortant le gâteau du four, verser dessus et dessous un sirop de sucre parfumé avec une liqueur quelconque.

Recette de Lina Sand

PASTNACHTKIECHLE

Appelés Kmeplätz à Mulhouse, ils se font dans toute l'Alsace au Carnaval

Pour une livre 1/2 de farine, on prend pour un sou de levure et 3/4 de chope de lait, 45 grammes de beurre, 4 morceaux de sucre, grain de sel, 2 œufs. On délaie la levure dans un peu de ce lait tiède et l'on met le beurre et le sucre dans le reste du lait. On met les œufs dans de l'eau tiède pour qu'ils ne refroidissent pas la pâte. La farine est mise dans une terrine et l'on y place au milieu la levure délayée en y mêlant un peu de cette farine qui est dans la terrine. Laisser monter un moment ce Loëbbkl dans un endroit chaud, ensuite on prend la terrine, on ajoute à la pâte le lait sucré avec le beurre en travaillant bien, puis les œufs et une petite cuillerée d'eau-de-vie si l'on veut. On bat bien le tout jusqu'à ce que la pâte se détache du fond de l'écuelle et des mains.

On laisse monter la pâte en lieu chaud (d'une hauteur d'environ 2 doigts). Étendre la pâte sur une planche farinée, sans se servir du rouleau ce qui empêcherait les beignets de monter. On coupe des rondelles avec un couteau. Chauffer du beurre fondu ou tout autre graisse à friture.

En mettant les beignets dans la graisse bouillante, il faut les étendre en les tirant sur une serviette placée sur le genou ou sur une forme à repasser des bonnets ou bien simplement en écartant les doigts (c'est un tour de main facile à acquérir) mais il faut que les beignets soient plus minces au milieu qu'alentour : alors ils se boursouflent et deviennent plus légers et meilleurs. Il faut être à 2 personnes pour les faire : l'une tant occupée à les tirer et à les poser dans la friture, l'autre à surveiller la cuisson.

On les retourne et quand ils sont bien dorés, un peu brunis on les retire en les saupoudrant de sucre mêlé de cannelle. On les mange tièdes. Ils sont excellents même rassis dans le café au lait.

Recette de tante Mimi Ferra
Manuscrit d'Aurore Sand

Carnaval. *Nous avons fait notre carnaval de famille. La nièce, les petits-neveux, etc. Nous tous, avons revêtus* [sic] *des déguisements. Ce n'est pas difficile ici. Il ne s'agit que de monter au vestiaire et on redescend en Cassandre, Scapin, Mezzetin, Figaro, Bazile, etc. Tout cela exact et très joli. La perle c'était Lolo en petit Louis XIII satin cramoisi rehaussé de satin blanc frangé et galonné d'argent. J'avais passé trois jours à faire ce costume avec un grand chic, c'était si joli et si drôle sur cette fillette de trois ans, que nous étions tous stupéfiés à la regarder. Nous avons joué ensuite des charades, soupé, folâtré jusqu'au jour.*
G. S. à Flaubert. 1869.

Tartelettes aux Amandes

Pour 18

Faire une pâte feuilletée avec 200 grammes de farine, 200 grammes de beurre. Pour mélanger : 180 grammes de sucre en poudre, 125 grammes d'amandes douces, 12 amandes amères. 4 blancs d'œufs battus en neige que vous mélangez en dernier avec une cuillerée à café de fleur d'oranger. Pilez les amandes et disposez-les dans la pâte feuilletée. Faire cuire.

Recette de tante Mimi Ferra
Manuscrit d'Aurore Sand

Beignets Soufflés

Une pâte à choux très sèche pour confectionner ces beignets soufflés de Mardi gras.

250 grammes de farine, 40 grammes de beurre, 7 morceaux de sucre, 1 cuillerée à café rase de sel, 1 grand verre d'eau, 4 œufs. Mettre dans une casserole : l'eau, le sel, le sucre, le beurre.

Faire bouillir et dès que cela bout, y jeter la farine et la travailler vivement sur le feu jusqu'à ce qu'elle se détache en boule du fond de la casserole. Retirer du feu et de suite ajouter un œuf, travailler jusqu'à ce qu'il soit parfaitement incorporé à la pâte, ajouter alors le second œuf, retravailler de même, puis le troisième, travailler encore et de même pour le quatrième. Cuire cette pâte en laissant tomber dans une friture chaude — non fumante — à l'aide d'une cuillère à café, de petits bâtons gros comme une noix, vers la fin de la cuisson les beignets éclatent et deviennent plus gros que des œufs. Servir chaud ou froid, si l'on veut, on peut parfumer la pâte au zeste de citron ou d'orange.

Recette de Thérèse Radan

Ci-dessus : tartelettes aux amandes (voir recette à gauche).

BÂTONS POUR LE THÉ

Faites chauffer un verre de lait (tiède) et fondre dans ce lait 125 grammes de beurre frais. Mettez sur la planche de la farine, faites-y un trou au milieu et mettez-y gros comme un œuf de levain, 15 grammes de sel fin, un peu de lait. Délayez bien vite le levain, ajoutez le beurre et le reste du lait. Pétrissez très vite la pâte qui doit être un peu plus ferme que pour le pain. Roulez-en un morceau bien mince et coupez-le en morceaux de 30 centimètres de hauteur, posez-les sur une plaque de tôle, couvrez-les d'un linge, mettez-les au chaud pour les faire lever comme le pain, saupoudrez de sel fin si vous voulez et dans le four 15 à 20 minutes, pas trop chaud.

Recette d'Aurore Sand

Biscuits de Mer

Prendre 4 œufs, peser leur poids de sucre et de farine. Battre le tout ensemble au fouet de manière à obtenir une pâte bien ferme. Dresser sur une plaque beurrée et farinée en petits tas de la grosseur d'un œuf.

Cuire au four chaud. Ces gâteaux se faisaient au Havre, spécialement pour les « voyages au long cours ». C'est dire leur excellente conservation.

Recette de Lina Sand

Brisselots aux Noisettes

Une appellation bien poétique (dérivée du verbe « briser ») pour ces petites galettes friables aux noisettes à servir comme petits fours ou avec le thé. (Nous conseillons la présentation en petites galettes, de préférence à une tourte plus difficile à manier avec cette pâte délicate.)
« Brisselot » pourrait être issu d'un jeu de mots entre le verbe « briser » et le nom du baron Brisse qui a inspiré quelques autres recettes de Nohant ; mais ce n'est là qu'une hypothèse bien séduisante.

Prenez 250 grammes de noisettes que vous épluchez bien. Pour 250 grammes (épluchures non comprises), pesez 500 grammes de sucre, battez quatre œufs, prenez une demi-livre de beurre frais et de l'écorce de citron râpée en quantité facultative.

Ajoutez-y de la belle farine en quantité suffisante pour former de petites boules. Pour 250 grammes de noisettes on emploiera environ 370 grammes de farine.

Faites cuire dans un four doux, sur des plaques, ou bien beurrez un plateau et dressez la pâte en forme de tourte.

Cahier d'Aurore Sand

Gâteau Moka

Prenez 3 jaunes d'œufs, 1/4 de livre de sucre pilé, 1/4 de beurre bien frais, mêlez le tout dans un récipient quelconque en tournant toujours du même côté, ajoutez-y une ou deux cuillères de café noir très chargé et chaud, tournez encore cette pâte un moment et lorsqu'elle est bien liée étendez-la sur des biscuits que vous disposez les uns sur les autres.

Lorsque votre gâteau a la forme que vous voulez lui donner, qu'il est enduit de cette pâte, versez sur le gâteau une crème à la vanille.

Recette de Lina Sand

Cake Anglais

1 kg de farine
1 livre de sucre cristallisé ou en poudre
250 grammes de beurre
3 œufs
1 verre de lait
125 grammes de raisins de Malaga
125 grammes de raisins de Corinthe
125 grammes de raisins de Smyrne
1 pot d'oranges en confiture
1/2 noix de muscade râpée
10 grammes de fines épices
50 grammes de levure en poudre
4 cuillerées à café rases de sel fin
rhum

Dans une terrine, mélanger la farine, le sucre, le sel, les épices, les raisins trempés au rhum, faire un fossé au milieu, y verser le beurre fondu avec le lait, les œufs, etc., et pétrir la pâte de manière à ce que ce soit bien mélangé.

Tapisser deux grands moules à cake de papier beurré, y verser la pâte et faire cuire à four modéré au moins 2 heures. Le cake n'est bon que rassis et peut se conserver un mois.

Recette de Thérèse Radan

Une excellente recette de cake anglais que les gourmands ne laisseront sûrement pas rassir un mois.

Cake aux Groseilles Vertes

«Très bon»

750 grammes de sucre en poudre
750 grammes de beurre
1 livre de groseilles vertes à maquereau
2 muscades râpées
6 jaunes d'œufs
4 cuillerées à bouche de vin blanc
2 cuillerées de rhum
2 livres de farine

Mêlez, mettez dans une forme plate au four, bien beurrer le moule.

Recette de Justine
Manuscrit d'Aurore Sand

Ou « clafoutis ». Gâteau de ménage, originaire du centre de la France, qui, dans sa simplicité rustique, fait toujours autant d'heureux au mois de juin quand les fruits noirs abondent.

Galifouty du Berry

Prenez un moule grand comme une assiette, à peu près et plat, beurrez-le. Prenez des guignes noires auxquelles vous aurez enlevé les queues ; garnissez-en le fond de votre moule et y ajouter une seconde rangée de guignes.

Prenez une gamelle (terrasse en berrichon), mettez-y un verre de farine, une cuillerée d'eau-de-vie, un œuf entier, un peu de sel, gros comme un œuf de beurre frais et ajoutez ce qu'il faut d'eau pour en faire une pâte claire, dite pâte à beignets, que l'on remue avec une cuillère de bois.

Tournez et battez votre pâte pendant 5 minutes environ, en évitant les grumeleaux. Puis versez au-dessus de vos guignes. La pâte claire envahit les interstices mais il faut veiller à n'en pas mettre trop, car alors le galifouty deviendrait lourd et perdrait de son goût.

Enfournez dans un four assez chaud et laisser à peu près une grande heure. Sortez du four, retournez votre moule et saupoudrez de sucre. Puis laissez refroidir plusieurs heures. Faites le galifouty le matin pour le soir, c'est ce qui est le mieux, ou le soir pour le lendemain matin.

Pas bon et indigeste chaud. Doublez les quantités pour avoir un gâteau double. Se conserve deux jours.

Recette d'Aurore Sand

A droite : service en faïence de Linnee. Ce service de Nohant est appelé service aux papillons car George Sand disait que ses fleurs devaient attirer les papillons recherchés par Maurice.

Grand Gâteau de Cerises Alsacien

1 litre de lait
6 croissants ou pain au beurre
1 morceau de pain ordinaire
1/2 livre de sucre

Versez le lait bouillant sur les croissants et le pain, que vous écraserez bien et que vous égoutterez bien après les avoir laissés tremper 5 heures au moins. Ensuite vous ajouterez 5 jaunes d'œufs, 2 petites cuillerées de farine, 1 petit morceau de beurre, vous mêlerez bien fort avec 4 livres de cerises, les plus grosses et les plus juteuses possible.

Puis vous battrez les 5 blancs d'œufs que vous ajouterez et vous mettrez dans un four doux sur un plat creux beurré et saupoudré de chapelure et de cannelle.

Ce gâteau doit lever en cuisant au four. On le saupoudre de sucre au moment de servir.

Les proportions indiquées sont très grandes ; on peut prendre la moitié surtout pour essayer.

Recette d'Elisa Lauth

Tarte au Citron

Lemon Cheese Tart

«Exquis»

Prenez deux œufs, deux citrons, 200 grammes de sucre, un œuf de beurre. Râpez le zeste des citrons, pressez le jus, mêlez le beurre ramolli avec le sucre (à feu très doux), placez le tout au bain-marie et ajoutez les œufs battus en omelette, tournez avec la spatule de bois jusqu'à ce que vous obteniez une pâte blonde de la consistance du miel. Mettez en pot.

Vous pouvez préparer cette pâte à l'avance, elle se conserve longtemps. Préparez d'autre part, une pâte sablée avec 200 grammes de farine tamisée, 60 grammes de beurre, 25 grammes de sucre, un œuf entier, une pincée de bicarbonate, une cuillère à soupe de lait ; travaillez-la très peu, étendez-la, disposez-la dans une tôle beurrée ou dans des petits moules à tartelettes et cuisez au four pendant dix minutes.

Garnissez avec la préparation que vous aurez réchauffée au bain-marie (ne réchauffez que la quantité nécessaire) et passez 20 minutes au four moyen.

Recette de Lina Sand
Note d'Aurore Sand

Charlotte Russe

Ayez un nombre suffisant de biscuits à la cuiller pour garnir l'intérieur du moule rond que vous destinez à la préparation de l'entremets ; garnissez avec ces biscuits, d'abord le fond, en les découpant suivant les exigences de la forme du moule ; garnissez ensuite symétriquement les côtés, sans laisser aucun vide ; faites fondre un peu de sucre fin dans une casserole de cuivre, et avec ce caramel, pas trop foncé, soudez les biscuits entre eux ; prenez de la bonne crème en quantité suffisante pour remplir le moule ; mettez-la dans une bassine posée sur de la glace, ou bien dans un endroit frais ; fouettez la crème pendant dix minutes au moins avec un petit balai d'osier dépouillé de son écorce ; ajoutez-y du sucre pulvérisé et vanillé ; ne battez plus, mêlez seulement pour que le sucre soit également réparti, versez le tout dans l'intérieur du moule.

Ce plat doit être préparé (quant à la crème) presque au moment de servir ; il ne peut attendre plus d'une demi-heure.

Cahier d'Aurore Sand

Gâteau au Chocolat

« Très bon »

1/4 d'amandes douces que l'on râpe sans les avoir mondées
1/2 livre de chocolat râpé
1/2 livre de sucre en poudre
70 grammes de farine
1/2 livre de beurre
6 jaunes d'œufs

Après avoir remué jusqu'à ce que le mélange soit bien complet, ajoutez 6 blancs d'œufs battus en neige très ferme. Beurrez un moule, saupoudrez-le d'un peu de farine. Faites cuire dans un four chauffé à l'avance mais pas trop chaud. 3/4 d'heure de cuisson environ.

Recette d'Aurore Sand

Une recette supérieure à celle de la reine de Saba qui suit.

Reine de Saba

Pour 8 personnes.
3 œufs
1/2 tasse de café noir
125 grammes de chocolat
150 grammes de sucre
75 grammes de beurre
75 grammes de farine

Dans une casserole, faire fondre le sucre et le chocolat avec le café. Ajouter le beurre qui doit fondre sans bouillir, retirer du feu. Ajouter les trois jaunes des œufs, quand le mélange est froid, y joindre les blancs en neige puis la farine tamisée. Cuire en moule uni beurré et foncé de papier 40 minutes de cuisson à four modéré, ce gâteau perd de sa qualité s'il est plus cuit.

Démouler froid et glacer avec deux grosses raies de chocolat fondu dans deux cuillerées à bouche d'eau et mélangées d'une noix de beurre. Parer d'amandes, de pistaches et de violettes cristallisées.

Ce gâteau n'est bon que rassis et peut se conserver huit à dix jours.

Recette de Thérèse Radan

Reine Isabelle

500 grammes de macarons
1 tasse à thé de lait chaud
10 morceaux de sucre
2/3 de tasse à thé de rhum
4 œufs entiers

| Dans le même esprit que les puddings.

Travailler le tout ensemble, verser dans un moule caramélisé, cuire 3 heures au bain-marie, renverser froid sur un compotier, orner de cerises confites et d'Angélique et servir entouré d'un suprême praliné.

Recette de Thérèse Radan

Les Madeleines

125 grammes de farine
125 grammes de sucre en poudre
60 grammes de beurre
2 œufs
Eau de fleur d'oranger ou autre parfum : vanille, citron
5 grammes de levure anglaise

Pesez les 2 œufs avec leurs coquilles, pesez même poids de farine et de sucre en poudre et la moitié de ce poids de beurre. Mélangez farine et sucre. Ajoutez le beurre fondu, les jaunes et le parfum.

Ajoutez la levure et les blancs battus en neige ferme. Beurrez les moules spéciaux, garnissez-les à moitié de pâte. Portez au four doux 20 minutes environ.

Recette d'Aurore Sand

Gâteau aux Pralines

Prenez neuf pralines de Bourges que vous pilerez bien, vous ajoutez sept cuillères à café bien pleines de sucre en poudre. Vous séparez les blancs des jaunes à 7 œufs, avec les jaunes vous faites une crème ordinaire à la vanille, vous fouettez les blancs en neige, quand ils sont bien fermes, vous ajoutez tout doucement les pralines et le sucre pilés bien doucement pour que les œufs ne s'abattent point.

Vous remplissez un moule de cette composition sans beurrer ni rien mettre. Vous faites bouillir pendant trois quarts d'heure ou une heure au bain-marie. Vous détachez bien tout autour avec un couteau et vous renversez sur un plat après avoir laissé refroidir un peu la composition dans le moule.

Quand il est plus froid vous glissez sur un compotier et versez la crème autour.

Recette de Mme Vergne de Cluis
Manuscrit de Lina Sand

Les œufs à la neige cuits dans un moule (un peu travaillé de préférence) prennent une jolie coloration dorée. Mousse fondante et pralines croquantes flattent le palais et composent un dessert léger et exquis.

Pommes Royales

Les pommes se caramélisent légèrement et vont se figer en refroidissant, se moulant naturellement. Une bonne recette facile à réaliser.

Dans une casserole, faire fondre 750 grammes de sucre arrosé d'un verre d'eau, quand tout est fondu, ajouter 1 kg de belles reinettes pelées et coupées en quatre ; faire cuire une demi-heure à feu vif puis au moins 1 h 1/2 à feu doux, ajouter aux pommes un zeste de citron coupé fin.

Beurrer légèrement un beau moule, y verser les pommes et laisser refroidir jusqu'au lendemain. Démouler sur un compotier et servir entouré d'une crème à la vanille.

Recette de Thérèse Radan

Gâteau à l'Ananas

L'ananas est un fruit bien luxueux pour l'époque mais cette recette s'explique par le goût de George Sand pour la botanique et les plantes rares (fleurs ou fruits) car on sait qu'elle s'essaya à la culture de l'ananas dans la serre du jardin de Nohant.

Battre 3 œufs en omelette avec six cuillerées de lait, 1 cuillerée à bouche de sucre en poudre, autant de levure en poudre, une pincée de sel, 60 grammes de beurre fondu, 200 grammes de farine tamisée. Cuire 1 heure en moule à côté beurré. Le lendemain, couper en tranches, les faire dorer au four, enduire ensuite de confiture d'abricots avec une tranche d'ananas entre chaque tranche de gâteau.

Recette de Thérèse Radan

Croquets de Paris

Croquets de Paris ou croquets solognots : la recette est identique.

500 grammes de farine
250 grammes de sucre
4 œufs
eau d'oranger
250 grammes d'amandes

Travailler le tout. Dresser cette pâte en dos d'âne en deux bandes.
Bien la dorer et rayer à la fourchette pour décorer.
Four un peu chaud.
Les couper sitôt cuits.

Recette d'Aurore Sand

Ci-dessus : des ananas ont été servis par George Sand à un visiteur inattendu. *On lui fait quand même un joli dîner orné de trois ananas arrivant de Nohant.* Agenda de G. S.

Un dessert rustique d'hiver qui conviendrait très bien à un retour de chasse.

Poirat Sylvie

Le matin, coupez vos poires après les avoir bien épluchées, coupez en rondelles, des « beurrés d'Angleterre » ou « des cuisses-dames ». Sur votre planche à pâtisserie, mettez la farine nécessaire selon la quantité de poires, faites un puits dans la farine et versez de l'eau-de-vie d'abord puis de l'eau pour démêler la farine après y avoir mis pas mal de sel, que votre pâte soit ferme quand la farine est bien démêlée, cassez par morceaux comme au pain puis étendez votre pâte.

Vous aurez du beurre bien ferme (l'été la pâte feuilletée est très difficile) et vous en mettez sur toute la pâte étendue une bonne couche par petits morceaux, il faut à peu près livre de beurre par livre de farine, tapez bien le beurre sur la pâte puis repliez la pâte d'abord en trois. Le beurre en dedans, puis encore en trois. Aplatissez bien avec le rouleau, recommencez une seconde fois et raplatissez encore, à la troisième fois votre pâte étant repliée, vous la mettez au frais sur le carreau et vous laissez reposer votre pâte environ une heure.

Quand le four est presque chaud vous assaisonnez vos poires avec sel, poivre, sucre et eau-de-vie, vous étendez votre pâte sur la tôle en coupant de quoi renfermer les poires que vous mettez au milieu vous repliez pour que le jus ne sorte pas comme pour un chausson aux pommes, vous mettez une cheminée au milieu et vous fardez avec un œuf entier battu ensemble le jaune et le blanc, vous mettez au four bien chaud. Quand il est cuit, il faut environ 1 heure 1/2, vous versez une bonne assiettée de crème par la cheminée. Vous servez à dîner.

Recette de Lina Sand

Pie à la Rhubarbe

Vers mai ou juin quand les côtes sont déjà grosses (mais pas encore dures), coupez avec discernement les feuilles dont l'absence ne dérangera pas la forme, le port de la plante. En Angleterre on mélange souvent à ces tiges de rhubarbe des groseilles à maquereau encore vertes ce qui vous indique la bonne saison. Ici on préfère les groseilles à part, et les rhubarbes un autre jour.

Quand on a coupé une douzaine de feuilles, faites ôter les feuilles des tiges, en prenant cependant la grosse côte du milieu, si elle est assez grosse pour s'en servir. Ces plantes doivent être placées au midi et pas abritées, c'est une plante rustique. Donc, faites cette opération le matin avant la chaleur, s'il y a de la poussière ou des éclaboussures de terre sur vos tiges vous pouvez les laver ou les essuyer ; mais si elles sont bien nettes ne les mouillez pas ou laissez-les sécher avant de les employer. Prenez un plat creux, pouvant être mis au four, et être servi sur la table ; au milieu de ce plat vous mettez une petite tasse ou jatte de cette grandeur et placée le haut en bas comme je vous l'indique.

Vous prenez un sucrier rempli de cassonade, préférable au sucre blanc. Vous pelez légèrement vos tiges, vous les coupez en petits morceaux de la grandeur d'un dé à coudre environ et vous les mettez à mesure au fond de votre plat, autour de votre jatte.

Serrez les morceaux parce qu'ils fondront. Quand il y a une couche de ces morceaux, mettez par-dessus une couche de cassonade, puis une couche de rhubarbe et ainsi de suite jusqu'à ce que votre plat soit bien rempli, parce que cela fond beaucoup. Cela fait (sans ménager la cassonade) votre cuisinière doit couvrir ce plat, de manière à ce qu'il soit bien hermétiquement fermé, avec une pâte, pas trop épaisse. La bonté du pie dépend un peu de cette pâte, elle ne doit pas être lourde ; c'est la pâte des tartes, mais avec beaucoup moins de beurre. Pour une tarte on pétrit 3 fois et pour ce pie une seule.

Cela fait, on met au four pendant une demi-heure ou 3/4 d'heure suivant la chaleur du four. Il vaut mieux que le four soit doux sans cela la pâte prend trop vite et se dessèche, la tasse empêche cette pâte de s'affaisser par le milieu. Le jus des tiges se rassemble en partie sous cette tasse. On fait de ces pies avec toute espèce de fruits : reines-claudes, abricots, on prend pour cela les moins bons et les moins mûrs. On peut mettre de la pâte au fond du plat en mettant du feu dessous.

Recette de Lina Sand

Lina. *Lina est à la tête de deux vaches, elle fait du beurre et des fromages exquis.*
G. S. à Edmond Plauchut. 1869.

Gâteau Royal à la Crème

Mettez sur la planche à pâtisserie une livre de farine, faites au milieu un trou dans lequel vous casserez trois œufs entiers, et vous mettrez petit à petit un demi-litre de bonne crème. Ajoutez en pétrissant un peu de sel fin et un quart de beurre fin.

Amenez une pâte molle et abattez-la au rouleau en la repliant trois fois. Dorez à l'œuf battu et faites cuire au four sur une plaque de tôle. Ce gâteau ne se sert pas seul mais vis-à-vis d'une crème ou avec du thé et du chocolat.

Recette de Lina Sand

Macarons

Prenez une demi-livre d'amandes douces et huit amères ; échaudez-les pour les monder, pilez-les dans un mortier en les mouillant de temps en temps avec un peu d'eau de fleur d'oranger, ajoutez-y une demi-livre de sucre en poudre et pilez encore.

Battez deux blancs d'œufs en neige ferme, mêlez-les à la pâte et distribuez-la en petites boules sur un grand papier double. Faites cuire au four à feu doux, pendant environ 15 minutes.

Recette de Lina Sand

Des petits choux assez gras recouverts de sucre.

Gâteau pour le Thé

Mettez un demi-litre de lait dans une bassine de cuivre ; ajoutez 375 grammes de beurre frais ; 64 grammes de sucre ; faites cuire le tout ensemble, puis délayez-y 250 grammes de farine, et mélangez jusqu'à ce que la pâte soit bien homogène ; mettez ensuite cette pâte dans un plat creux, ajoutez-y 6 à 7 œufs ; saupoudrez une plaque de fer blanc avec de la farine, placez-y la pâte par cuillerées isolées ; battez trois blancs d'œufs en neige, que vous mettez par petite quantité sur ces gâteaux, en y ajoutant du sucre en poudre ; faites cuire dans un four modérément chaud.

Cahier d'Aurore Sand

Gâteau Corinthe

Les Bambous

150 grammes de farine
200 grammes de sucre en poudre
125 grammes de beurre
125 grammes de fruits confits ou raisins secs
Une cuillerée à café de poudre royale
ou de vanille.
3 ou 4 œufs dont les blancs battus en neige.

Pétrissez le tout ensemble. Laissez revenir la pâte un moment, versez dans un moule troué dans le milieu et cuisez dans le four à feu doux. On peut le décorer avec de la crème fouettée dans le milieu et quelques fruits confits. Très bon gâteau.

Commencez par le sucre et le beurre dans une terrine, les bien mêler ensemble puis ajouter les jaunes d'œufs et ensuite la farine petit à petit pour éviter les grumelots.

Laissez reposer jusqu'au moment où le four du fourneau est à point (pas trop chaud), battre les blancs en neige et incorporez délicatement dans la pâte. Beurrez le moule et s'il n'est pas creux au milieu, posez la petite coupe à fromage dans le milieu du plateau.

Recette de Lina Sand

Sur une desserte de la salle à manger, des skowns et des croquets de Paris, devant une verseuse, une chocolatière, une petite casserole à manche de bois spéciale pour cuire le sucre et la cantine de voyage du père de George Sand.

The Skowns

Petits pains pour le thé

1 livre de farine
1 paquet ou une cuillerée à bouche de levure en poudre
125 grammes de sucre en poudre
125 grammes de beurre
2 cuillerées à café rases de sel fin
1 œuf
1 verre de lait

Mettre dans une terrine la farine, la levure en poudre, le sucre, le sel, les raisins. Mêler le tout, faire une fontaine au centre, y verser le beurre fondu, le lait, l'œuf et travailler cette pâte de manière à obtenir une boule qui se détache proprement de la terrine.

Couper cette boule en quatre et former quatre boules, les abaisser au rouleau en quatre ronds épais de un peu plus d'un centimètre. Couper chaque rond en quatre, ce qui vous donne 16 gâteaux triangulaires, qu'il faut cuire à four moyen à peu près 20 minutes. Servir le jour même.

Recette de Thérèse Radan

Skowns ou scones : ce sont des petits pains sucrés servis en Angleterre pour le thé ou le petit déjeuner.
Les scones se partagent en deux et se beurrent tout chauds.

Tarte Anglaise

« Très britannique »

250 grammes de farine
125 grammes de graisse de rognons de bœuf
100 grammes de lait
2 œufs
25 grammes de sucre
5 grammes de sel
marmelade de pommes

L'emploi de la graisse animale ne doit pas vous rebuter car c'est un usage ancestral, d'ailleurs encore en vigueur dans certains pays européens (Espagne, Angleterre), qui donne de bons résultats.

Employez la graisse de bœuf fondue puis resolidifiée. Hachez-la et ajoutez-la à la farine. Fraisez ensuite tous les condiments, sauf les pommes. (Ajoutez de la farine si la pâte est trop liquide.) Foncez une tourtière beurrée avec cette pâte épaisse d'un centimètre. Garnissez-la d'une marmelade de pommes. Ornez avec des rubans de pâte. Dorez ceux-ci avec un pinceau et un peu d'œuf.

Portez au four jusqu'à cuisson complète. On fait la même tarte avec une marmelade de rhubarbe très sucrée.

Recette d'Aurore Sand

Tartelette à la Vanille

Baron Brisse : célèbre journaliste gastronome du XIXe siècle qui tenait chaque jour une chronique autour d'un menu dans la *Liberté*, le journal d'Émile de Girardin.

Broyer à sec 125 grammes d'amandes sèches et 125 grammes de sucre ; passer au tamis ; ajouter 30 grammes de farine tamisée et un peu de vanille en poudre et amalgamer doucement le tout à six blancs d'œufs battus en neige.

Beurrer et foncer des moules avec une pâte faite de 100 grammes de beurre, 200 grammes de farine, 10 grammes de sucre, 15 grammes de sel et une goutte d'eau ; verser la composition dans les moules et cuire à four doux. Quand les tartelettes sont cuites, les saupoudrer avec du sucre en glace. On sert chaud ou froid.

Recette du baron Brisse
Manuscrit de Lina Sand

Les Sablés

Préparez :
250 grammes de farine
125 grammes de beurre pétri à la main
100 grammes de sucre en poudre
2 jaunes d'œufs
parfum quelconque

Dans le creux de la farine, mettez tous les ingrédients et pétrissez une pâte ferme, la veille au soir, si possible. Une seule fois poussez-la sous la paume de la main, puis roulez-la en boule et enveloppez-la d'une serviette. Le lendemain, étendez cette pâte avec le rouleau à l'épaisseur d'un demi-centimètre, découpez comme vous voudrez et placez les gâteaux sur une tôle beurrée et que vous badigeonnez d'eau.

Mettez dans un four assez vif, tournez la plaque de temps en temps ; surveillez attentivement cette cuisson. Dès que les sablés sont d'un blond un peu foncé, retirez-les du four et de la plaque et laissez refroidir à l'air (proportions pour 20 gâteaux). Se conservent dans une boîte en fer blanc quelques jours.

Recette de Lina Sand

Zuyback

3/4 de farine
1/2 beurre
1/2 livre de sucre
1 œuf
1/2 verre de kirsch

Cannelle en poudre à volonté. On travaille le beurre avec la farine et le sucre, ajoutez l'œuf puis le kirsch. Aplatir la pâte et la couper à l'aide d'un verre à bordeaux. Mettre au four assez chaud. Quelques minutes de cuisson.

Recette de tante Mimi Ferra
Manuscrit d'Aurore Sand

Le zuyback ou zwieback est une sorte de biscotte qui accompagne le petit déjeuner en Allemagne.

A droite : brochette de cerises servi sur les assiettes décorées de fraises en relief que les visiteurs peuvent voir tous les jours sur la table dressée à Nohant, service récemment réédité par un fabricant de porcelaine sous le nom de Service George Sand.

Double page suivante : repas au jardin. *Tous les jours, comme c'était la belle saison et que nous mangions en plein air, elles [deux fauvettes] descendaient à tire-d'aile sur notre table, et se tenaient autour de nous comme d'aimables convives..., tantôt sur notre épaule, tantôt volant au devant du domestique qui apportait les fruits, pour les goûter sur l'assiette avant nous... Ce fut une grande surprise pour un de mes amis qui arrivait de Paris que de m'entendre appeler des oiseaux perdus dans les hautes branches, et de les voir accourir immédiatement.*
G. S.

Confiture, Confiserie

Brochettes de Cerises

Prenez un kilogramme de belles cerises, dont vous ôterez la queue et le noyau ; un kilogramme de sucre en poudre. Mettez dans une terrine un lit de cerises, un lit de sucre alternativement ; recouvrez la terrine, laisser fermenter pendant 48 heures ; versez le tout dans une bassine, mettez sur le feu, laissez faire trois ou quatre bouillons ; laissez refroidir après avoir retiré de la bassine, puis enfilez les cerises sur des brins de paille, et faites sécher à l'abri des mouches et de la poussière.

Le jus est employé en guise de sirop. On confit de la même façon le raisin et les prunes de mirabelle ; quant aux plus gros fruits, on emploie le même procédé, mais on les laisse bouillir plus longtemps, et, au lieu de les enfiler, on les place un à un dans des boîtes de bois, pour les faire sécher à l'étuve.

Recette d'Aurore Sand

Truffes au Chocolat

125 grammes de beurre, 125 grammes de sucre glace, 125 grammes de chocolat, un jaune d'œuf, 1 cuillerée à bouche de café noir très fort.

Fondre le beurre à feu très doux en le travaillant avec le sucre, ajouter le chocolat râpé puis le café.

Retirer du feu, ajouter le jaune d'œuf, bien travailler le tout et laisser reposer au frais jusqu'au lendemain. En prendre des morceaux avec une cuillère à café, les rouler en boule et passer dans du cacao en poudre ou mieux granulé.

Recette de Thérèse Radan

Massepain d'Issoudun

Le massepain est l'une de nos plus anciennes friandises. C'est une pâte d'amandes glacée au sucre qui revêt des formes et couleurs variées. Le massepain parfumé à l'eau de rose était particulièrement prisé à la Renaissance.

Une livre d'amandes douces (et quelques amandes amères seulement) échaudées, pelurées et bien séchées ensuite pour être mieux broyées dans un mortier avec une livre de sucre fin (une livre de sucre pour chaque livre d'amandes).

Quand le tout est bien broyé, ajouter le zeste d'un citron vert bien râpé menu sur une râpe à sucre, puis deux onces de cédrat confit, bien coupé menu également, lorsque la pâte de sucre et d'amandes est bien broyée et bien battue, ajouter alors deux blancs d'œufs, trois s'il est nécessaire, pour réunir ladite pâte, l'étaler comme une galette, et lorsqu'elle est étalée la piquer par-dessus pour qu'elle ne se boursoufle pas durant la cuisson.

Glacer à la vanille ou à la fleur d'oranger avec du sucre fin bien battu. Laisser refroidir et durcir le massepain 2 ou 3 jours avant de l'entamer.

Recette d'Ulric Richard Desaix
Manuscrit de Lina Sand

Baslerlekerlis

Baslerlekerli : Basler = habitant de Bâle.
Lekerli = de « lecken », « lécher » d'où le sens approximatif de « la friandise qui allèche le Bâlois ».
Les « lekerli » sont des petits pains d'épice glacés au sucre dont la recette remonte au XIVe siècle.
On peut découper les « lekerli » en formes et sujets différents, ce qui amuse beaucoup les enfants.

3 livres 1/2 de farine, 2 livres 1/2 de miel, 2 livres de sucre en poudre, 1 livre 1/2 d'amandes, 185 grammes d'écorces d'orange confites, 185 grammes d'écorce de citron confites, 60 grammes de cannelle, 1 écorce de citron fraîche, 1 petite noix de muscade, 1 verre à bordeaux de kirsch.

Coupez les amandes sans les peler en tranches pas trop minces, hachez l'orangeade, la citronnade, l'écorce fraîche de citron, râpez la noix de muscade. Mettez le miel dans une écuelle allant au feu ; faites-le chauffer jusqu'au premier bouillon, puis sans éloigner l'écuelle du feu, mélangez peu à peu la moitié de la farine au miel.

Remuez bien avec une spatule de bois et incorporez petit à petit les amandes, la citronnade, l'orangeade, l'écorce de citron fraîche, la cannelle et la noix muscade. Quand le tout est bien amalgamé, ajoutez le reste de la farine en travaillant vigoureusement le mélange. La pâte doit être excessivement épaisse, presque impossible à travailler ; lorsqu'elle est à peu près bonne, on y verse le kirsch en continuant de tourner encore quelques minutes, bien entendu sans quitter l'âtre car il est indispensable que la pâte des lekerlis reste tiède pour ainsi dire chaude. Le mélange terminé, laissez l'écuelle au bord du foyer pour l'empêcher de refroidir. Prenez une partie de la pâte, étendez-la sur la planche à l'aide d'un rouleau, puis découpez-la avec la forme spéciale ou simplement avec un couteau en ayant soin de couper des petits carrés longs, aussi égaux que possible.

Posez les bonbons sur la tôle, légèrement saupoudrés de farine et enfournez. Si par hasard la pâte s'étale on l'épaissit avec un peu de farine. Il faut que les lekerlis se touchent sur la tôle, soient très serrés les uns contre les autres et dans les mêmes lignes horizontales et verticales afin de pouvoir les couper d'un même coup lorsqu'ils sortent du four car la cuisson les coller les uns contre les autres et les carrés découpés par la forme ou le couteau ne sont plus qu'indiqués.

La cuisson dépend complètement de la chaleur du four, quand on les juge suffisamment cuits on les fait glisser sur une table, ensuite avec le dos d'un couteau on accentue les coupures mais sans séparer entièrement les lekerlis, afin de faciliter le glaçage. Lorsque la plaque de pains d'épice est froide, retournez-la, brossez l'envers, d'ordinaire un peu enfariné, glacez l'endroit, laissez sécher, cassez les lekerlis, enveloppez-les de papier blanc ou serrez-les dans une boîte.

Proportion pour une quinzaine de douzaines à peu près. Les lekerlis se conservent très longtemps. Pour les amollir, les laisser à l'air, pour les durcir, les enfermer dans une boîte de fer blanc.

Recette d'Aurore Sand

Glaçure des baslerlekerlis

1 livre de sucre en poudre, 4 décilitres d'eau.

Faites un sirop très épais. Prenez une brosse et enduisez les lekerlis très rapidement afin que le sirop ne se fige pas.

Au bout de quelques minutes si les lekerlis ne sont pas assez blancs, on recuit le sirop pour le rendre plus épais et l'on donne une seconde couche de glaçage et même une troisième si la 2e n'est pas suffisante.

Miel. *Mon cher Jacques, je vous prie de m'envoyer du miel, si vous pouvez vous en procurer encore 10 livres comme le dernier, qui était très bon et qui est très bien arrivé. Les enfants l'aiment beaucoup.*
G. S. à Jacques Robot. 1869.

Confitures de coings. *Tu es une bête avec tes confitures. Tu me prends pour une marchande. Cela ne me reviendra pas à 20 sous la livre, je crois. Juge si cela me ruine, et quant à ma peine, il ne m'en coûte pas plus d'en faire une plus grande quantité quand j'en fais pour ma provision... Il y a des confitures pour quand tu voudras les faire prendre. J'en ferai de raisins et de coings. Il n'y aura pas de poires. L'année est mauvaise en fruit chez nous. Tout tombe sans mûrir.*
G. S. à Gabriel Planet. 1849.

Confiture de Coings

Pelez les coings et les épépiner après les avoir coupés en quartiers. Jetez le tout quartiers, peaux et pépins, dans une bassine où l'on verse l'eau. Faire cuire ainsi jusqu'à 1 à 2 bouillons. Retirez les quartiers qui doivent être à peine cuits.

Passez le jus et pesez autant de sucre qu'il y a de jus et un peu plus s'il y a pas mal de quartiers. Cuire le sirop ainsi fait et y jeter les quartiers pour finir la cuisson. Environ 25 minutes à 1/2 heure.

Recette d'Aurore Sand

Confiture d'Oranges

«Recette excellente envoyée de Blidah»

Prenez des oranges sucrées, passez-les très légèrement sur une râpe, de façon à les faire suinter, mais non à râper le zeste ; mettez-les tout entières dans de l'eau fraîche, laissez-les pendant deux jours dans l'eau, en renouvelant celle-ci le matin et le soir ; mettez-les sur le feu dans de l'eau froide, pour les faire blanchir ; après deux ou trois bouillons retirez les oranges, mettez-les dans de l'eau fraîche, et les laisser dans cette eau pendant deux ou trois heures ; posez-les sur un tamis, laissez-les égoutter jusqu'au lendemain matin ; coupez-les en quatre ou six quartiers, suivant leur grosseur, enlevez soigneusement avec des ciseaux les gousses contenant les pépins ; faites un sirop avec une petite quantité d'eau, un poids de sucre égal au poids des oranges, et le jus de six autres oranges, ce chiffre est calculé pour dix-huit oranges, composant la confiture ; on mettra plus ou moins de jus, si l'on fait plus ou moins de confiture.

Quand le sirop commence à perler, on y jette les fruits, en laissant cuire doucement, pendant deux heures environ, sans remuer et en enlevant quelquefois l'écume qui se produit à la surface de la bassine.

Recette d'Aurore Sand

Gelée de Groseilles Blanches

Je ne retrouve pas la recette pour les groseilles mais je crois me rappeler que c'est très simple surtout pour Nounou qui sait faire les confitures. Mettre de la framboise en petite quantité comme dans la gelée ordinaire et prendre des groseilles blanches de préférence. Faire passer les groseilles épépinées et les framboises dans un torchon pour en exprimer le jus.

Peser ce jus froid et y joindre petit à petit égale quantité de sucre en poudre en tournant toujours pour qu'il se mêle bien, quand le sucre est tout amalgamé et paraît fondu, verser tout de suite dans des pots plutôt petits car un pot entamé ne se conserve pas. Aussitôt en pots, mettre dans un endroit très frais mais pas trop humide afin que la gelée prenne. Couvrir le lendemain avec un papier imbibé de bonne eau-de-vie forte et couvrir comme les autres confitures.

Conserver dans un endroit frais et sec. Toute la difficulté est dans la conservation et le mélange du jus et du sucre. Mais cela se fait sans voir le feu et si c'est raté on pense le ramener en faisant cuire comme la gelée ordinaire.

Recette de Lina Sand

Les confitures, c'est sérieux. *J'ai fait une quarantaine de livres de confitures de prunes ; Il est bien plus simple que tu y puises tant qu'il y en aura. Seulement je me charge de les* conserver, *car cela demande encore de certains soins. Toutes les fois que tu en voudras, fais-en demander… J'en ferai d'autres encore à ton attention. Les femmes que tu m'enverrais ne me serviraient à rien, car on ne peut pas confier cette besogne. Il faut la faire soi-même et ne pas la quitter d'un instant. C'est aussi sérieux que de faire un livre…*
G. S. à Jules Néraud. 1844.

Marmelade d'Oranges de Séville

Recette anglaise

1er jour : coupez en tranches petites et très minces une douzaine d'oranges de Séville (la marmelade n'est vraiment bonne qu'avec cette espèce d'oranges) dont vous ne retirez que les pépins.

Pour chaque livre de fruits ajoutez 3 pintes (cela fait 1 litre 1/2, s'il est vrai comme le dit le dictionnaire qu'une pinte équivaut à 1/2 litre) d'eau froide et laissez reposer jusqu'au lendemain.

2e jour : mettez le mélange sur le feu doux jusqu'à ce que le fruit soit mou (environ 50 minutes ou une heure à partir de l'ébullition). Laissez reposer jusqu'au jour suivant.

3e jour : pesez et pour chaque livre de fruits et de jus ajoutez 1 livre 1/4 de sucre. Faites bouillir jusqu'à ce

Confitures de melon vert. *Ma chère maman, je vous écris un mot en courant pour vous adresser un pot de confitures que j'ai faites pour vous. C'est un garçon de mon village, qui a l'honneur d'être maçon à Paris, qui se charge de vous les porter et qui partant un jour plus tôt que je ne comptais, ne me laisse pas le temps de vous en dire davantage. Je mets la confiture toute chaude dans le pot et n'ai que le temps de le goudronner. Il faudra dès que vous l'aurez reçu, le déboucher et le couvrir seulement de papier. Il faudra aussi le manger dans le courant de* 6 *semaines puisque le melon vert est* une légume *qui ne se garde pas longtemps.*
G. S. à Mme Maurice Dupin. 1830.

Confitures brûlées. *Je suis charmée que vous ayez trouvé mes confitures bonnes. Je comptais vous en adresser un second volume, mais mon essai n'a pas été aussi heureux que le premier. Entraînée par l'ardeur du dessin, j'ai laissé brûler le tout et je n'ai plus trouvé sur mes fourneaux qu'une croûte noire et fumante qui ressemblait au cratère d'un volcan beaucoup plus qu'à un aliment quelconque.*
G. S. à Mme Maurice Dupin. 1828.

Confitures d'abricots. *Mon cher Jacques, nous avons reçu les abricots, et malgré beaucoup de perte, nous avons pu faire 16 livres de confitures. Comme on n'en trouve pas à acheter dans le pays, gardez-nous à l'avenir ceux qui réussiront chez moi. Seulement, une autre année, s'il y en a, il faudra les cueillir à moitié mûrs, faire plusieurs envois, pour ne pas mettre les pourris avec les verts, et les emballer avec plus de soin, une couche de paille entre chaque couche de fruits.*
G. S. à Jacques Robot. 1868.

que le fruit soit transparent et que le jus soit suffisamment épais (1 heure environ). 2 citrons par douzaine d'oranges rendent la marmelade meilleure.

Recette de Mme Wynn Jones
Manuscrit d'Aurore Sand

Gelée de Pommes

«Joli entremet, agréable et délicat»

Pommes ordinaires, pelées et pesées pour y joindre le même poids en sucre. Faire cuire sucre et pommes ensemble et leur faire traverser une passoire fine en fer battu.

Le jus de trois citrons et cinq feuilles de gélatine fondues servant à arroser la bouillie de pommes qu'on fouette fortement de 25 à 30 minutes et qu'on place après dans un moule huilé pour le mettre ensuite dans un endroit frais (froid s'il est possible) 3 heures avant de servir. Cette recette sert pour une livre de pommes et le même poids en sucre.

Recette de Solange Clésinger

Confiture de Potiron

Prendre 1 kilo d'abricots tapés, les mettre dans un récipient, verser dessus 2 litres d'eau bouillante. Laisser macérer 48 heures. D'autre part prendre 7 livres de potiron dont on enlève les côtes et les pépins, les couper en petits morceaux et les mettre dans un autre récipient avec 2 kilos de sucre en poudre ou cristallisé. Laisser également macérer 48 heures.

Au bout de ce temps mêler abricots et potiron. Mettre 2 citrons coupés en quatre et une gousse de vanille. Faire cuire pendant une heure en tournant continuellement. Enlever citrons et vanille et mettre en pots. Ces quantités donnent 15 à 16 pots.

Recette d'Aurore Sand

Liqueurs et Boissons

La journée s'écoule à faire des sirops, des confitures, des liqueurs.
G. S. à Hippolyte Chatiron. 1827.

Café glacé à l'Italienne

On prend une ou plusieurs poignées d'amandes douces, mélangées de quelques amandes amères ; on les pèle, on les fait griller sur une poêle jusqu'à ce que leur teinte soit brun foncé. On prend, pour une poignée d'amandes, 80 grammes de café moka pas trop brûlé, on le moud en même temps que les amandes, on place ce café dans un litre de bon lait bouillant, on laisse bouillir le tout une fois ; on fait passer dans un tamis de fil d'archal, on remet sur le feu avec une quantité de sucre toute facultative. Disons entre parenthèses que, pour tout ce qui se sert glacé, il faut employer une quantité de sucre plus considérable que pour les boissons et les mets servis chauds.

Quand le café recommence à bouillir, on y ajoute huit jaunes d'œufs délayés dans une demi-tasse de bonne crème ; on enlève du feu, on verse dans une terrine, et l'on agite sans cesse afin qu'il ne se forme aucune peau sur la surface.

Quand le café est bien refroidi, on pose la terrine sur de la glace plusieurs heures avant de servir. On présente ce café dans de petits gobelets ou bien dans les tasses ordinaires ; on ajoute à chaque tasse une forte cuillerée de crème fouettée, saupoudrée de sucre pilé, simple ou vanillé.

Cahier d'Aurore Sand

Liqueur de Noyaux de Pêches

Mettre un verre de lait bouillant sur une livre de sucre en poudre, remuer un peu, pendant peu de temps, verser un litre d'alcool saturé de noyaux sur ce lait sucré et quand le sucre est fondu, filtrez.

Recette de Lina Sand

Cerises à l'Eau-de-Vie

On prend de belles cerises pas trop mûres et bien saines ; on raccourcit la queue et on les pique avec une épingle d'acier, à trois ou quatre endroits. On les met dans un bocal qu'on remplit d'eau-de-vie ordinaire. Pendant 4 ou 5 jours on met le bocal au soleil pour qu'il se chauffe bien. Si le soleil est trop fort, fermer les persiennes sans quoi les cerises blanchiraient.

Après une huitaine de jours, on enlève le jus qu'on pèse et l'on met fondre du sucre dans le moins d'eau possible. Il faut livre de sucre pour livre de jus. Pour faciliter la fonte du sucre on peut mettre un peu d'eau chaude.

On mélange le jus au sucre, mais il faut que la composition soit bien froide pour la verser sur les cerises. On met dans le bocal une couche de cerises, puis de la cannelle en bâton, 6 ou 7 clous de girofle en tout jetés à différents endroits dans les cerises et l'on distribue la cannelle de même.

On remplit de jus et dans le haut on met un petit nouet fait de la coriandre qu'on retire ensuite ainsi qu'un peu de cannelle de peur que cela donne trop de goût.

Recette d'Aurore Sand

« Nouet » (art culinaire, pharmacologie) : linge noué dans lequel on enferme généralement une substance aromatique ou médicamenteuse ou tout autre décoction que l'on fait bouillir. (Étymologie : diminutif de « neu », « nou », anciennes formes de « nœud » et suffixe « et »).
Trésor de la langue française

Fleurs d'Oranger Pralinées

Pour 100 grammes de pétales (Caron jette les étamines et les pistils), on prend 200 grammes de sucre que l'on fait fondre dans une cuillerée d'eau seulement. Lorsqu'il est cuit au soufflé, on y jette les fleurs d'oranger et l'on remue sans cesse, jusqu'à ce que toute l'eau rendue par les pétales soit évaporée ; le sucre redevient alors au soufflé.

On retire les fleurs d'oranger en employant une écumoire, et l'on sépare les pétales les unes des autres en les manipulant dans du sucre en poudre ; on les étend sur une feuille de papier, on les met dans un four très doux, on les y laisse pendant un quart d'heure. Les fleurs d'oranger pralinées sont, non seulement un excellent bonbon, mais aussi un calmant très efficace, pour les personnes nerveuses.

Cahier d'Aurore Sand

Sucre au soufflé : le sucre cuit « au soufflé » correspond à une cuisson de 109° centigrades, intermédiaire entre le « perlé » et le « boulé ».

Crème de Fleur d'Oranger

Liqueur excellente

1/2 livre 8 onces de pétales de fleurs d'oranger
4 litres esprit de vin
8 livres de sucre
4 litres d'eau froide

On prend un litre de lait, on le fait bouillir et on le jette sur les fleurs. On couvre pour laisser infuser. Quand le lait est refroidi, on passe au travers d'un linge fin ; on ajoute l'esprit de vin. Le sucre a dû fondre dans l'eau. On mélange le tout et on filtre au papier gris.

Recette de Mme Poissonnier
Manuscrit de Lina Sand

Racahaut de Mme Clertan

Chocolat ou poudre de cacao sucré (ce dernier préférable) le faire soi-même. Une tasse du susdit délayé dans un peu de lait froid et à froid une forte cuillerée de belle fécule de pommes de terre et une de riz. Verser dans le chocolat et remuer jusqu'à un tour de bouillon.

Lina Sand

Pour faire la Farine pour le Petit Déjeuner de Nounou

1 paquet de crème de riz
1 paquet de crème d'orge
1 paquet de crème d'avoine
1 paquet de fécule
250 grammes de cacao en poudre
sucre à volonté

Bien mêler toutes les farines ensemble avec le cacao et l'employer après comme la farine renouée avec du lait ou de l'eau. Ces crèmes se trouvent chez les épiciers.

Aurore Sand

Liqueur de Raisin

Emplissez de grains de raisins votre bocal jusqu'au col, versez ensuite dessus de l'eau-de-vie dans laquelle vous aurez fait fondre un quarteron de sucre par pinte, exposez ce mélange pendant plusieurs jours au soleil s'il veut bien avoir la complaisance de lui lancer quelques rayons pendant le mois de novembre et quatre mois après vous aurez une liqueur qui vous surprendra par sa bonté.

Recette d'Aurore de Saxe

Racahaut = Racahout
(de l'arabe « raquaut »).
Mélange de fécules alimentaires en usage chez les Turcs et les Arabes comprenant fécule de pommes de terre, farine de riz, glands doux, cacao, sucre, vanille et salep.
La consommation du chocolat chaud liquide et mousseux s'est imposée en France comme première boisson exotique à partir du XVIIe siècle mais parallèlement a subsisté l'usage primitif d'un chocolat chaud épaissi, plus proche d'une bouillie, tel que les Aztèques l'offrirent à Cortès, encore couramment servi ainsi de nos jours en Espagne.
Les deux types de service, mousseux ou épaissi, ont d'ailleurs dû coexister à Nohant.

A gauche : sur la table de la chambre de George Sand, la chocolatière du matin.
Dans les dernières années, elle déjeunait dans son cabinet de travail d'une tasse de chocolat très épais dans lequel elle ajoutait un peu de crème fraîche.
Aurore Sand. Souvenirs de Nohant.

Fruits à l'eau de vie. *Je vous prierai aussi de commander au confiseur chez qui vous avez pris l'année dernière les bocaux assortis que vous avez eu la bonté de m'envoyer, un assortiment à peu près semblable, aux cerises à l'eau-de-vie près, dont nous avons provision, mais prunes et abricots à l'eau-de-vie, un bocal de chaque et 5 à 6 bocaux de prunes, abricots, cerises, pêches, en compote, particulièrement l'abricot est fort de mon goût. Faites-en mettre 2 ou 3 bocaux. Vous voudrez bien en faire une caisse et me l'expédier par le roulage.*
G. S. à Louis-Nicolas Caron. 1829.

Prunes de Reine-Claude à l'Eau-de-Vie

Piquez les prunes avec une épingle, jetez-les dans de l'eau froide, mettez le tout sur le feu ; lorsque l'eau s'échauffe, et que les prunes paraissent à la surface, on les enlève, on les pose sur un tamis. Il faut compter un quart de kilogramme de sucre par kilogramme de fruit ; on fait un sirop avec ce sucre, on y met les prunes, on les y laisse pendant cinq minutes ; on répète cette opération trois jours de suite, en ajoutant chaque jour un quart de kilogramme de sucre de plus par kilogramme de fruit.

On laisse refroidir, on met les prunes et le sirop dans un bocal ; quatre ou cinq jours plus tard, on ajoute de l'eau-de-vie en quantité facultative.

Cahier d'Aurore Sand

Ratafia d'Anis

Pr. semences d'anis .... 2 onces
eau-de-vie à 20° .... 4 livres
Sucre blanc .... 10 onces

Macérez pendant douze heures, passez et filtrez, ou faire de même celui de badiane.

Recette d'Aurore de Saxe

Ratafia de Café

Pr. café moka brûlé, concassé .... 14 onces
eau-de-vie à 21° .... 8 livres
sucre blanc concassé .... 18 onces

Macérez pendant 6 jours, filtrez.

Recette d'Aurore de Saxe

Ratafia de Cerises

Pr. cerises de Montmorency ou à queue courte, mondées, écrasées .... 8 livres
eau-de-vie à 22° .... 8 livres
sucre blanc .... 1 livre et demie

Digérez pendant un mois avec les noyaux écrasés, ajoutez le sucre, filtrez.

Recette d'Aurore de Saxe

Ratafia de Grenoble

Pr. cerises noires de bois sans queue, écrasées avec leurs noyaux .... 12 livres
Alcool à 24° .... 48 livres
sucre blanc .... 12 livres

Macérez, exprimez les cerises, ajoutez le sucre réduit en sirop, la macération est d'un mois.

Recette d'Aurore de Saxe

Ci-dessous : café. *Lire, fumer, souper, boire du café, écrire, être à Nohant et complètement seule dans le profond silence de la nuit. Voilà ce que j'ai. Je suis plus heureuse que je ne l'ai jamais été, parce que ma position est arrivée à l'échelle exacte de mes besoins. Et puis l'amour divin est dans le fond de mon âme, et le ciel sur ma tête !*
G. S. Le Calepin bleu. 1836.

| Aurore Sand.

Extrait de Champignons

On nettoie bien les champignons ; on les saupoudre de sel, d'échalotes hachées, d'un peu de noix de muscade râpée, de quelques clous de girofle. On ajoute (si l'on veut) un peu d'ail, persil, thym, laurier, poivre, etc. On couvre le tout, on laisse reposer pendant trois à quatre jours dans un endroit chaud.

On met sur le feu, et lorsque le mélange a commencé à bouillir, on écrase le tout, on passe le jus dans un tamis en fil d'archal, on laisse reposer.

Le lendemain, quand le jus est devenu bien clair, on le remet sur le feu, on laisse réduire jusqu'à consistance d'un sirop pas trop épais.

On met en petites bouteilles, on bouche, on cachette, on garde dans un endroit frais. Cet extrait donne un goût excellent aux sauces ou jus de ragoûts ou de viandes noires.

Cahier d'Aurore Sand

Conservation des Œufs

Préparez une légère eau de chaux, et placez au fond d'un grand vase (bocal ou pot de grès) une épaisse couche de chaux ; placez-y les œufs jusqu'à ce que le bocal soit rempli, jetez-y l'eau de chaux, recouvrez les derniers œufs avec une couche de chaux encore plus épaisse que la première, couvrez le bocal avec du papier. Grâce à cette méthode, les œufs se conservent frais pendant sept ou huit mois.

Recette d'Aurore Sand

Persil Conservé

Pour avoir du persil en hiver, on en fait provision puis on le fait sécher entre deux journaux au soleil, et on le met dans une boîte.

Recette d'Aurore Sand

Pour Conserver les Tomates

On choisit des tomates mûres d'une forme régulière, plutôt petites que grosses ; on les place avec soin dans un bocal de verre, de grès ou de terre, que l'on remplit complètement jusqu'à 4 ou 5 centimètres de l'orifice, on verse dans le bocal de l'eau dans laquelle on a fait dissoudre du sel de cuisine jusqu'à saturation ou au moins jusqu'à ce qu'un œuf surnage dans la dissolution. Il faut avoir soin de mettre sur les tomates une planche, une pierre plate ou un morceau de brique pour les obliger à rester immergés dans le liquide, sans cette préparation celles de la surface, qui sont en partie hors de l'eau, se gâtent. En cet état les tomates se conservent parfaitement pendant plusieurs années avec leur saveur. Quand on veut les employer, on les fait tremper dans l'eau fraîche pour les dessaler. Tiré du *Siècle*.

Recette de Lina Sand

Tomates Vertes à la Saumure

Les laver, les piquer de plusieurs coups d'aiguille et donner une minute d'ébullition dans de l'eau salée bouillante. Égoutter, laisser refroidir. Mettre en pots et recouvrir de saumure refroidie (100 grammes de sel par litre d'eau). Pour utiliser, couper en rondelles et assaisonner en salade.

Recette d'Aurore Sand

Sauce Tomate « Catsup »

5 kg de tomates
1 gousse d'ail
1 cuillerée à café de noix de muscade
1/2 kg d'oignons
un peu de poivre
un peu de moutarde
6 clous de girofle
1 cuillère à soupe de sucre
125 grammes de vinaigre de vin
5 grammes de salicilate de soude

Catsup ou « ketchup ». Les deux orthographes sont attestées au XIXe siècle.

Coupez tomates et oignons, 1 heure après ajoutez vinaigre et tous les ingrédients. Laissez réduire de moitié à très petit feu. Passez au tamis et ajoutez le salicilate. Redonnez un tour de bouillon une ou deux minutes. Laissez refroidir, décantez s'il y a lieu le liquide qui surnage. Laissez refroidir et remplissez les petites bouteilles. Bouchez et cachetez.

Recette d'Aurore Sand

Conserves de Truffes

Après avoir bien nettoyé à plusieurs eaux un grand nombre de truffes, mettez-les sécher à l'air pendant 24 heures. Après cela, mettez-les dans des flacons servant à cet usage, mettez-y une cuillère à soupe de madère puis bouchez-les fortement, enveloppez-les avec du foin et les attachez fortement avec une ficelle, mettez du foin dans le fond d'un chaudron, posez les flacons dessus tout debout, mettez de l'eau froide et les faire cuire à feu modéré pendant 3 heures.

Laissez-les refroidir jusqu'au lendemain, sortez-les de l'eau et les cacheter puis tenez-les dans un endroit très sec.

Recette de Marie Alexandre

Consommé des Malades

Il faut un petit pot en étain fermant hermétiquement et pouvant contenir une livre de bœuf et légumes variés.

Une livre de bœuf coupée en petits morceaux, légumes carottes, navets, oignons, poireaux, un peu de sel, pas l'apparence d'eau, mettre le vase ainsi préparé dans un plus grand pendant 6 heures au moins, le bain-marie toujours bouillant, et tout le petit pot-au-feu baignant toujours jusqu'à l'endroit de la fermeture.

Quand on l'ouvre, la viande est presque dissoute et il reste la valeur d'une tasse à café d'un consommé dont on met une cuillerée à bouche dans une tasse de bouillon ordinaire.

Recette de Mme Villot
Manuscrit de Lina Sand

Ci-dessus : Mme Villot, épouse de Frédéric Villot, peintre et graveur, très liée avec George Sand qui la traite en parente.

Pour les Brûlures

Une cuillerée d'eau de chaux et une cuillerée d'huile d'olives, battez bien et mettez aussitôt que la brûlure a lieu, ne changez la compresse que toutes les 5 heures environ.

Recette de Lina Sand

À éviter car tout corps gras (huile ou beurre) posé sur une brûlure continue à cuire la peau au lieu de l'apaiser.

Contre la Constipation Opiniâtre

Boire tous les soirs en se couchant un grand verre d'eau froide.

Recette de Lina Sand

Pour faire Pousser les Cheveux

Deux médecins, l'un français et l'autre allemand, ont conseillé à Mlle Sonne pour faire pousser les cheveux de mettre dans un flacon trois quarts d'huile de ricin et un quart de quinquina mêlé à un peu d'odeur.

Recette de Lina Sand

Contre les Engelures

Pour les engelures se graisser les mains matin et soir avec de la Glystérine, c'est aussi bon pour les crevasses aux mains causées par le froid.

Ce qui est meilleur c'est de cueillir des fraises dans la saison et les mettre dans une bouteille, on remplir cette dernière d'huile d'olive au moment des froids ce liquide sera excellent pour les engelures. Glycérine.

Recette de Lina Sand

Pour Obtenir de la Glace

L'ancêtre de nos sorbetières actuelles. Le procédé est toujours le même, seules les techniques ont évolué et la sorbetière mécanique en bois est devenue une centrifugeuse où des serpentins à gaz rafraîchissant remplacent la saumure.

Appareil à glace : il se compose d'une boîte en bois de chêne de 36 centimètres de longueur, 8 centimètres de largeur et de 16 centimètres de hauteur et de deux boîtes en fer blanc de même forme et de telle grandeur qu'elles entrent dans la première en laissant un espace convenable au mélange frigorifique. Ces deux dernières boîtes sont destinées à contenir l'eau que l'on soumet à l'action du mélange frigorifique. Leur capacité est d'environ 1 500 grammes d'eau que 3 doses du mélange suivant peuvent solidifier quand on opère à la température de 10°.

Sulf. de soude non effleuri en poudre 2 2 000
Acide sulfurique à 41° (acide 7 eaux) refroidi .. 1 500

Recette de Lina Sand

Bouillon aux Céréales

« Reconstituant, très bon »

200 grammes de garbanzos
2 cuillerées de riz (trempés la nuit à l'eau salée)
1 cuillerée de blé
1 cuillerée d'avoine
1 cuillerée d'orge
1 cuillerée de seigle
1 poignée de haricots rouges
4 litres d'eau
sel
5 pommes de terre
2 laitues
2 navets
ajoutez 6 à 8 poireaux
5 carottes
1/2 céleri

Cuisson 5 heures, doucement. Si le bouillon consomme trop ajoutez vers la fin l'eau qu'il faudra pour faire à peu près 2 litres de bouillon. Se conserve 1 jour 1/2.

Recette d'Aurore Sand

« Garbanzos » ou « garvance : » nom qui désigne les pois chiches en espagnol.

Tisane de Céréales

« Très fortifiant »

Blé, orge, seigle, avoine (graines entières chez M. Degraines), une cuillerée de chacun pour 1 litre d'eau. Cuire doucement 3 heures, couvert. Puis à moitié cuisson (réduit à peu près de moitié) rajoutez de l'eau pour faire le litre de tisane (ramener au litre). Ne se conserve que la journée. En prendre régulièrement (le litre) pendant 3 semaines.

Recette d'Aurore Sand

Tisane de Coucou

Se trouve dans les prés au printemps. On emploie les fleurs et les feuilles.
Remède curatif : avec les fleurs séchées ; faites infuser trois pincées de fleurs dans un bol d'eau bouillante pendant 10 minutes. Prenez deux tasses par jour ; cette tisane est en outre fortifiante.
Nerfs : Préparez un thé de feuilles desséchées (une pincée de feuilles pour 1 tasse). Deux tasses par jour. Remède contre les maux de tête et vertiges.
Rhumatismes : La tisane de feuilles séchées est très recommandée aux rhumatisants des articulations. Deux tasses par jour pendant 1 mois.

Recette d'Aurore Sand

Contre le Mal de Gorge

Mme Donadis m'a dit qu'un vieux chanteur de talent lui avait dit que pour guérir d'un mal de gorge on faisait un cataplasme de cassis c'est-à-dire on concasse le cassis et on le fait bouillir et alors on met cela bien chaud sur la gorge.

Recette de Lina Sand

Plantes Comestibles

Mars-Avril :
Plantain - jeunes feuilles au naturel.
Ronce - jeunes pousses cuites en asperges ou petits pois.
Houblon - les pousses au naturel, en salade, ou braisé ou au beurre.
Prêle - en asperges.
Mai-Juin :
Asperges sauvages - jeunes pousses.
Trêfle à fourrage - en salade cuite.
Orpin ou sedam, queue de rat - jeunes feuilles et bourgeons (en salade).

Aurore Sand

SAVON

Pendant 1/4 d'heure battre ensemble jusqu'à ce que tout soit bien amalgamé :

1 litre d'eau froide
4 cuillerées d'alcali
250 grammes de soude caustique

Ajouter 1 kg de suif fondu chaud mais pas bouillant. Battre encore. Mettre en moule, laisser sécher.

Recette de Lina Sand

Vous mangerez votre soupe au lait, tant que vous voudrez, mais elle ne coûtera pas 8 sous pour Jacques tout seul, puisque 8 sous de lait suffisent pour nous trois quand j'y suis. Vous avez oublié de compter les rognons de mouton de dimanche dernier. La dépense de beurre est trop forte. À Nohant on en use 4 (?) par semaine pour 8 personnes, ici vous en comptez 1/2 (?) par jour. C'est le double de ce qu'il faudrait. Ne vous privez pas mais ne vous laissez pas commander par les fournisseurs.

Page du livre de compte de la cuisine tenu par le personnel et annoté de la main de George Sand.

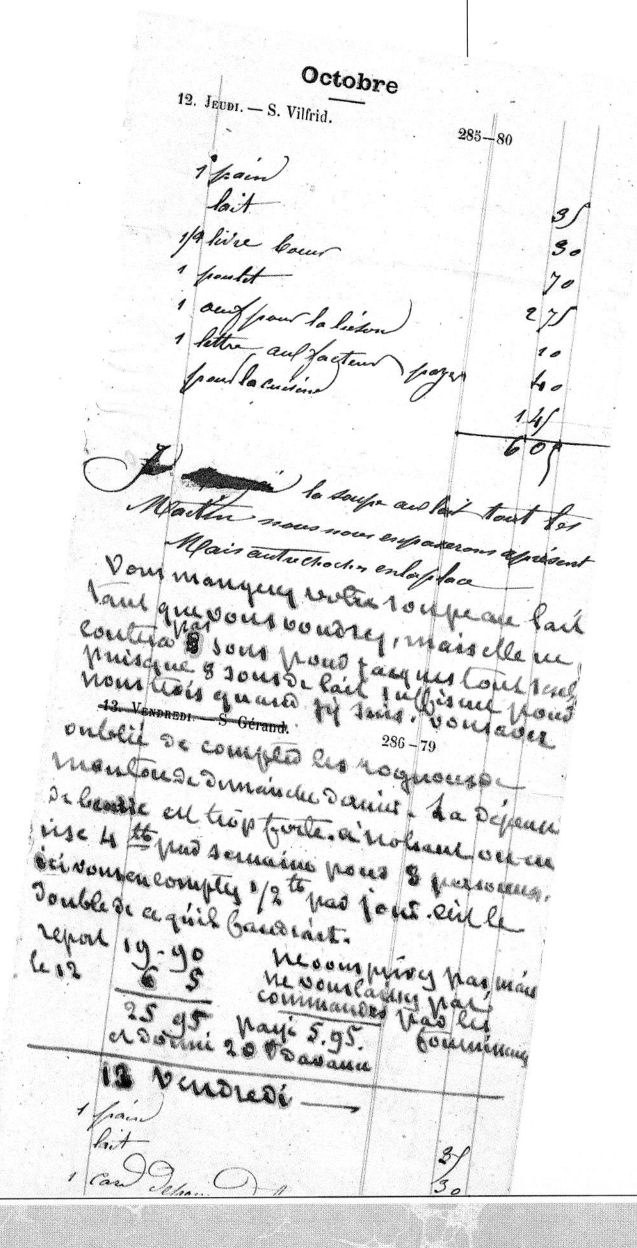

Octobre

12. Jeudi. — S. Vilfrid. 285—80

1 pain
lait 35
1/2 livre beurre 30
1 poulet 70

13. Vendredi. — S. Gérand. 286—79

13 Vendredi

1 pain
lait 35

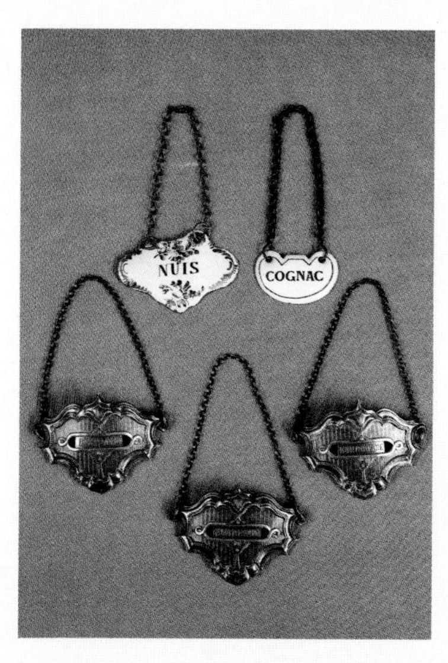

Collier d'identification : Étiquettes en émail ou en argent qui étaient placées sur les carafes des vins servis. Noter l'ancienne orthographe du Nuits-Saint-Georges.

Poids et Mesures

Chopine	1/2 litre
Setier	1/2 litre
Once	30 grammes
Demi-Setier	1/4 de litre
Pinte	3/4 de litre

Aurore Sand

Procédé

pour empêcher la mousse de jaunir et de dessécher et pour détruire en même temps les œufs des insectes qui rongent les rideaux et le bois

On jette dans 2 litres d'eau bouillante 16 milligrammes d'acide piérique, 2 grammes de carmin et 1 gramme d'indigo. On plonge ensuite pendant une minute dans cette dissolution qu'on laisse sur le feu, la mousse nouée en petits paquets et après l'avoir retirée à l'aide de pinces, on la laisse doucement sécher à l'air. Ainsi préparée cette mousse ne subit aucune altération, elle conserve une couleur charmante et l'on pourra s'en servir pour entourer des fleurs naturelles ou artificielles. Tiré du *Siècle*.

Recette de Lina Sand

Pour le Vin des Domestiques

Prendre une barrique de vin de Stéphane, la faire mettre en bouteilles, savoir combien de bouteilles par semaine ou par mois à donner à la domestique (sic).

Manuscrit d'Aurore Sand

POUR LE VIN DES MAÎTRES

Avoir un fût (demi-barrique) vide, lequel on remplit à l'arrivée de la barrique, lequel on laisse de côté. On tire à la barrique entamée.

Manuscrit d'Aurore Sand

POUR EMPÊCHER LE VIN DE FILER

On met dans une barrique de 228 litres tannin sec 200 grammes dissous dans 2 litres d'eau ou de vin — nous avons mis — tannin pur 65 grammes dissous dans un verre d'eau et un verre et demi d'alcool environ pour 72 bouteilles.

Recette de Lina Sand

POUR METTRE LE VIN EN BOUTEILLES

Ne pas faire cette opération quand la vigne travaille c'est-à-dire ni à la montée de la sève (printemps depuis mars) ni aux vendanges. Mettre de préférence le vin en bouteilles par un temps clair et fin de lune de février ou de mars.

Au moment de la mise en bouteilles, verser l'eau-de-vie très nette de goût dans un bol, dans lequel vous faites tremper les bouchons environ 3 minutes. Faire passer une première fois le bouchon dans la machine à boucher et le remettre une deuxième fois pour boucher.

Ces deux opérations se font successivement pour chaque bouchon. Secouer le bouchon pour qu'il ne soit qu'humide et éviter de laisser tomber le liquide dans le vin.

Recette d'Aurore Sand

Beaujolais. *Une question qui demande réponse immédiate. Arrault ne peut me procurer de vin ordinaire d'un prix possible. Duvernet me dit que chez* Girerd *on boit un ordinaire Beaujolais excellent et bon marché. Comment est cet ordinaire, toi qui t'y connais et qui as passé plusieurs jours à cette table…*
Réponds vite. C'est urgent, je ne trouve que du vin détestable ou d'un prix effrayant.
G. S. à Maurice Sand. 1857.

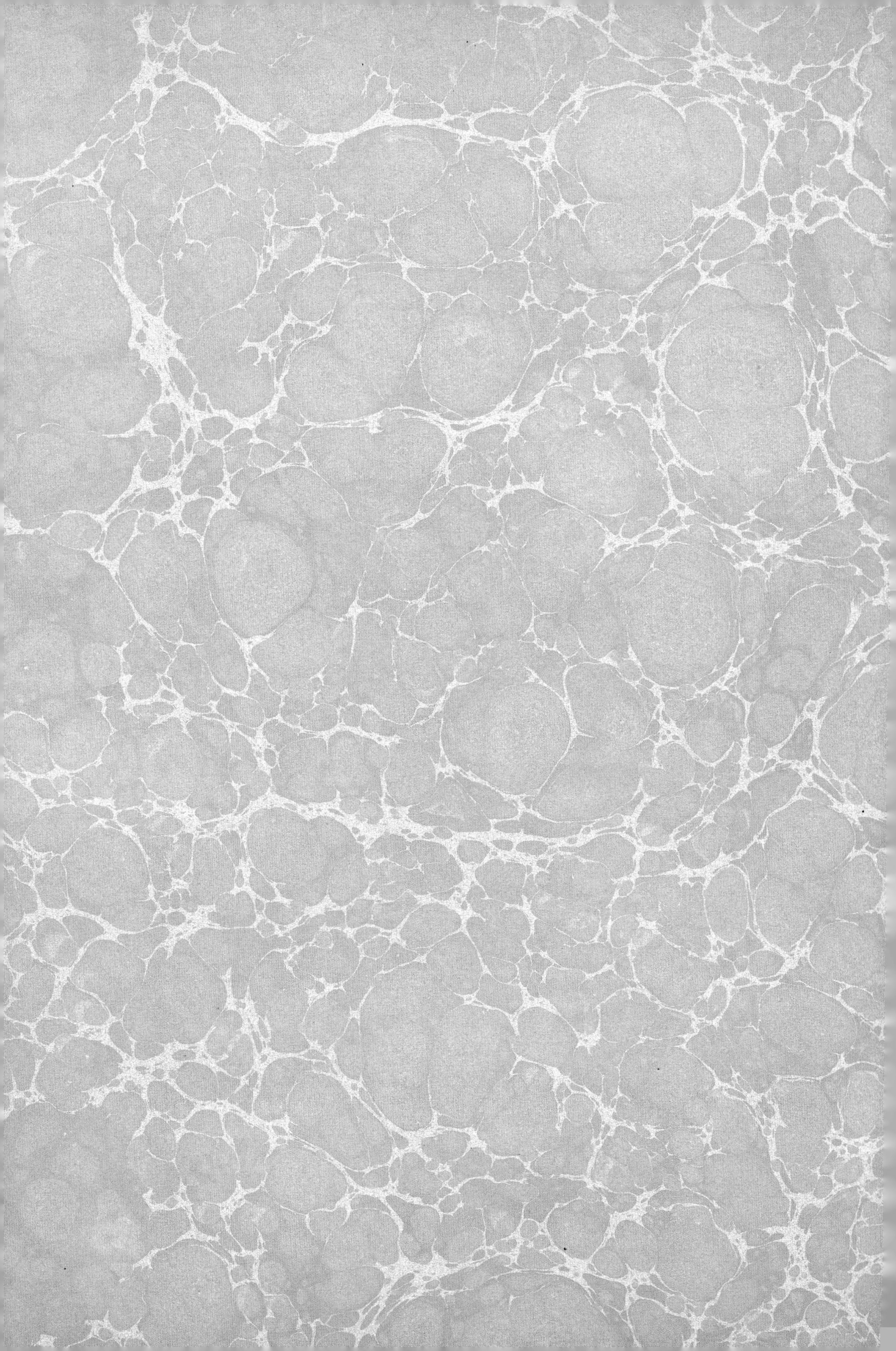

Remerciements

Il serait impensable d'éditer un ouvrage concernant George Sand sans avoir au préalable reçu l'absolution de Georges Lubin.
Son érudition et son inlassable patience, alliées à celles de son épouse depuis plus de cinquante années de travail commun sur l'œuvre et la vie de la Grande George, m'ont évité bien des erreurs qui auraient pu ternir l'image de vérité que je souhaite donner de la vie de Nohant.
Je les en remercie bien affectueusement.
Merci aussi à Sylvie Delaigue-Moins de m'avoir épargné des recherches en m'autorisant à emprunter quelques passages de son livre, *Chopin chez George Sand à Nohant.*
Jeanne Dangleterre avait reçu de Georges Smeets-Sand l'un des cahiers de cuisine de Nohant, en souvenir d'Aurore Sand qui avait pu apprécier bien souvent sa généreuse table continuellement ouverte aux amis. Je la remercie d'avoir bien voulu me le confier.
Je ne saurais oublier Évelyne Lory et les nombreuses heures qu'elle a consacrées au déchiffrage des manuscrits pour m'aider à les présenter lisiblement, ainsi que l'accueil et la participation efficace de Marie-Christine et Didier Clément.
Le photographe André Martin grâce à l'accueil amical et chaleureux de Robert Franco a pu travailler librement dans le calme de la célèbre demeure et pu traduire tout le charme dans ses remarquables photographies. Merci à tous les deux.
Remerciements enfin à Ghislaine Bavoillot, créatrice de cet ouvrage, pour sa compétence et la passion qu'elle a su communiquer à toute son équipe, pour que ce livre ne soit pas qu'un livre de recettes ordinaire. Sa sortie aux Éditions Flammarion ne peut que grossir encore les rangs des sandistes.
Merci à tous.

Bibliographie

SOURCES MANUSCRITES

Billet de Solange Clésinger-Sand (archives Sand).
Aurore Sand « Souvenir d'enfance sur Nohant » (archives Sand).

SOURCES IMPRIMÉES

GEORGE SAND : *Autour de la table,* Éditions Dentu, Paris, 1862 ; *Correspondance,* textes réunis, classés et annotés par Georges Lubin, 21 volumes (1812-1870), Garnier, Paris, 1964-1986 ; tome XXI (1870-1872) à paraître, *Entretiens journaliers avec le docteur Piffoël,* œuvres autobiographiques, tome II, éditeur Georges Lubin, Bibliothèque de la Pléïade, Gallimard, Paris, 1971 ; *Histoire de ma vie,* œuvres autobiographiques, tome I, éditeur Georges Lubin, Bibliothèque de la Pléïade, Gallimard, Paris, 1971 ; *Journal intime,* œuvres autobiographiques, tome II, éditeur Georges Lubin, Bibliothèque de la Pléïade, Gallimard, Paris, 1971 ; *Journal,* bibliothèque de La Châtre (copies) ; *Agendas,* bibliothèque de La Châtre (copies) ; *Journal de Gargilesse,* Éditions Pirot, Tours, 1984 ; « Lettre à Ernesta Grisi », collection Lovenjourl, musée Condé de Chantilly ; *Le Théâtre de marionnettes de Nohant,* œuvres autobiographiques, tome II, éditeur Georges Lubin, Bibliothèque de la Pléïade, Gallimard, Paris, 1971.
AURORE SAND : « Souvenirs de Nohant », *La Revue de Paris,* n° 17, 1er septembre 1916.
EUGÈNE DELACROIX : « Correspondance Générale », par André Joubin, tome II (5 volumes), Plon, Paris.
SYLVIE DELAIGUE-MOINS : *Chopin chez George Sand à Nohant,* édité par les Amis de Nohant, Châteauroux, 1986.
ALEXANDRE DUMAS FILS : *Correspondance,* bibliothèque de La Châtre (copies).
FLAUBERT - SAND : *Correspondance,* Flammarion, 1981.
EDMOND et JULES DE GONCOURT : *Journal, mémoires de la vie littéraire,* tome II, Flammarion, Paris, 1935.
HENRI GRÉVILLE : *Maurice Sand,* édition privée, février 1889.
GEORGES D'HEYLLI (Edmond Parisot) : *La Fille de George Sand,* édition privée, Paris, 1900.
HUGUES LAPAIRE : *Portraits berrichons,* Édition Radot, Paris, 1927.
HUGUES LAPAIRE et FIRMIN ROZ : *La Bonne Dame de Nohant,* Éditions Francis Laur, Paris, 1898.
GEORGES LUBIN : « Nohant », *Caisse Nationale des Monuments historiques et des sites,* « Quelques belles soirées de Nohant », numéro spécial « Nohant » du *Bulletin des Amis de George Sand.*
ANDRÉ MAUROIS : *Lelia,* Hachette, Paris, 1952.
ÉDITH WHARTON : *A Motor Flight Through France,* © Charles Scribner's Sons, U.S.A., 1908.

Table des Recettes

Sauces

Beurre de Montpellier 82
Sauce Maître d'Hôtel Liée 82
Sauce Échalote à la Béarnaise 83
Sauce Hollandaise 83
Mayonnaise 84
Sauce pour le Homard 84
Sauce Tomate Créole 84
Sauce pour Viande Froide 85

Soupes et potages

Bouillon Maigre 86
Bouillabaisse 86
Borchtch Russe 87
Chou en Gerbure 88
Potage à la Purée de Navets 88
Potage au Fromage 89
Potage Crème de Chou-Fleur à la Rohan 90
Potage à la Reine 91
Potage à la Purée de Potiron 91
Soupe aux Poireaux 92
Soupe aux Endives 93
Soupe Maigre aux Petits Pois 93
Soupe aux Tomates Pot-au-Feu 94
Soupe Espagnole 95

Entrées, œufs

Trilée Belge 96
Croquette de Bœuf Bouilli 96
Casse-Museau 98
Bouchées à la Reine 98
Entrée de Légumes 99
Pour Manger du Caviar 99
Fondue au Fromage 100
Céleri au Jus 100
Entrée de Bœuf et de Veau 101
Tarte au Fromage 101
Fromentée au Blé 102
Fromentée 102
Gâteau de Gannat 103
Gnocchis 104
Œufs Farcis 106
Œufs à la Crème 106
Pour Cuire un Œuf Mollet 107
Ramequins 107
Œufs Pochés à la Norberts 108
Galette aux Pommes de Terre et Fromage Blanc 109
Pain Mousseline aux Tomates 109
Soufflé au Pâté de Volaille 110
Rissoles 111
Pissaladiera 111
Sarmali 112
Quiche Lorraine 112

Charcuterie

Confits d'Oies 112
Pâté de Foie Gras 113
Terrine de Foie Gras 114
Pâté de Ménage 115
Terrine de Lièvre 116
Leber Kloese 118
Jambon Rôti 118

Poissons

Beurre Blanc nantais 119
Alose 120
Cuisson de Différents Poissons 120
Poisson à la Persane 121
Brandade de Morue 122
Hareng à la Jungblat 122
Moules Provençales 122
Poissons à la Chambord 123
Carpe Alsacienne 123
Homard à l'Américaine 124
Écrevisses Excellentes 124
Filets de Sole 125
Sole Normande 126

Volailles

Canard à la Bruxelles 127
Farce de Volaille 127
Aspic de Volaille 128
Poulet 130
Farce pour garnir l'intérieur des Volailles rôties 131
Poulet à la Richelieu 131
Fricassée de Poulet 132
Poulet à la Jeune Fille 132
Poulet au Riz 133
Poulet Sauce Américaine 133
Poulet Chasseur 134
Poulet à l'Italienne 134
Volaille à l'Hermite 135
Pour Désosser une Volaille 135

Viandes

Côte de Bœuf Marinée 138
Filet de Bœuf à la Béarnaise 138
Filet de Bœuf à la Brésilienne 139
Bourek de Bœuf 139
Pudding de Rumpsteack 139
Carbonnades à la Flamande 140
Boulettes de Bouilli 141
Gigot de 7 Heures 142
Mouton à la Turque 142
Haricot de Mouton 143
Kouss-Kouss 144
Foie de Veau aux Truffes 144
Grenades de Foies de Veau 145
Veau en Sardines 145
Veau en Thon 146
Veau en Gelée 146
Côtelettes de Veau en Papillotes ... 147
Petits Fricandeaux aux Champignons 147
Galantine ou Daube 148
Composition du Curry 148
Recette pour le Curry 149

Gibier

Langues de Rennes de Laponie 150
Lièvre à la Royale 150
Lièvre à l'Aigre-Doux 151
Civet de Lièvre 151
Ramerons Farcis 152
Sauce pour le Gibier et Salmis 152

Accompagnements, Légumes

Artichaut à la Grecque 154
Aubergines Frites 154
Champignons en Coquilles 155
Timbale Stéphanie 155
Pourpier Doré 156
Purée de Pois 156
Ravioli 157
Pâte à Nouille 157
Riz à la Grecque 158
Risotto 159
Pilaf 159

Puddings

Pouding au gros tapioca (ou Semoule ou Riz) 160
Pudding soit à la Semoule, ou Riz, ou Vermicelles, ou Farine 160
Plum-Pudding 161
Pudding Exquis 162
Pudding Gantois 162
Pudding au Chasseur 163
Pudding aux Pommes 164
Sauce au Vin 164

Entremets

Châtaignes 165
Carottes Sucrées 166
Crème au Candi d'Œufs, à la Vanille, au Chocolat.......... 166
Soufflé au Chocolat 167
Crème Ferme au Chocolat 167
Mousse au Chocolat 168
Suprême au Chocolat 168
Suprême Praliné 168
Crème de Bourgogne 169
Winter-Crème .,...................... 170
Crème Coloniale au Café, Chocolat, Vanille et Caramel ... 170
Flan à la Semoule 171
Compote de tiges de Rhubarbe 171
Pommes Cuites 172
Compote de Marrons 173
Natillas (crème cuite) 173
Soufflé au Thé et Tapioca 174
Pourym 174

Rice-Pap ... 175
Riz au plat à la vanille ... 175

Pâtes, Pains, Gâteaux

Beignets (Pâte à frire) ... 176
Crêpes ... 176
Pâte Brisée ... 177
Pâte Sablée ... 178
Bettleman ... 178
Biscuit ... 179
Pains de Gruau ... 180
Brioche ... 180
Gâteau Vichy ... 181
Pain d'Attila ... 182
Pain d'Épice ... 183
Pains Fondants ... 183
Gâteau aux Épices ... 184
Gâteau au Pain Noir ... 184
Kugelhopf ... 185
Pain au Lait ... 186
Tourte Fondante ... 186
Biscuits d'Amandes ... 187
Gâteau d'Amandes ... 187
Gâteau mi-Brioche mi-Savarin ... 188
Pastnachkiechle ... 189
Tartelettes aux Amandes ... 190
Beignets Soufflés ... 190
Bâtons pour le Thé ... 191
Biscuits de Mer ... 192
Brisselots aux Noisettes ... 192
Gâteau Moka ... 192
Cake Anglais ... 193
Cake aux Groseilles Vertes ... 193
Galifouty du Berry ... 194
Grand Gâteau de Cerises Alsacien ... 194
Tarte au Citron ... 196
Charlotte Russe ... 197
Gâteau au Chocolat ... 197
Reine de Saba ... 198
Reine Isabelle ... 198
Madeleines ... 199
Gâteau aux Pralines ... 199
Pommes Royales ... 200
Gâteau à l'Ananas ... 200
Croquets de Paris ... 200
Poirat Sylvie ... 201
Pie à la Rhubarbe ... 202
Gâteau Royal à la Crème ... 203
Macarons ... 203
Gâteaux pour le Thé ... 204
Gâteau Corinthe ... 204
The Skowns ... 205
Tarte Anglaise ... 206
Tartelettes à la Vanille ... 206
Sablés ... 207
Zuyback ... 207

Confiture, Confiserie

Brochettes de Cerises ... 208
Truffes au Chocolat ... 208
Massepain d'Issoudun ... 212
Baslerlekerlis ... 213
Confitures de Coings ... 214
Confitures d'Oranges ... 215
Gelée de Groseilles Blanches ... 214
Marmelade d'Oranges de Séville ... 215
Gelée de Pommes ... 218
Confiture de Potiron ... 218

Liqueurs, Boissons

Café glacé à l'Italienne ... 219
Liqueur de Noyaux de Pêches ... 220
Cerises à l'Eau-de-Vie ... 220
Fleurs d'Oranger Pralinées ... 221
Crème de Fleur d'Oranger ... 221
Racahaut de Mme Clertan ... 223
Farine pour Petit-Déjeuner Nounou ... 223
Liqueur de Raisin ... 000
Prunes Reine-Claude à l'Eau-de-Vie ... 224
Ratafia d'Anis ... 224
Ratafia de Café ... 224
Ratafia de Cerises ... 225
Ratafia de Grenoble ... 225

Conserves

Extrait de Champignon ... 226
Conservation des Œufs ... 226
Persil Conservé ... 227
Conserver les Tomates ... 227
Tomates Vertes à la Saumure ... 227
Sauce Tomate Catsup ... 228
Conserves de Truffes ... 228

Utiles

Consommé des Malades ... 229
Pour les Brûlures ... 229
Contre la Constipation Opiniâtre 229
Pour faire Pousser les Cheveux ... 230
Contre les Engelures ... 230
Pour Obtenir de la Glace ... 230
Bouillon aux Céréales ... 231
Tisane de Céréales ... 231
Tisane de Coucou ... 232
Plantes Comestibles ... 232
Savon ... 233
Poids et Mesures ... 234
Procédé ... 234
Pour le Vin des Domestiques ... 234
Pour le Vin des Maîtres ... 235
Pour Empêcher le Vin de Filer ... 235
Pour Mettre le Vin en Bouteilles ... 235

Index des noms cités

Une information complémentaire est donnée pour les personnages connus ou qui n'entrent pas directement en scène dans le corps de l'ouvrage.

ADAM Juliette. Femme de lettres. 33
AGOULT Marie d', Daniel Stern en littérature. Compagne de Franz Liszt et amie de courte durée de George Sand. 10-40-41-42-43
ALAPHILIPPE Jean. Domestique de George Sand. 40
ALEXANDRE Marie. Une cuisinière de Nohant. 228
ARRAULT Henri. Pharmacien. 235
AUCANTE Émile. Berrichon, secrétaire et homme d'affaires de George Sand. 65

BALZAC Honoré de. 10-42-43
BONAPARTE Napoléon Jérôme. 10
BONNIN Pierre. Menuisier du village. 18
BONOBLET Père. Ecclésiastique, ami d'Aurore Sand. 154
BORIE Victor. Journaliste et secrétaire de George Sand. 131-165
BOUCOIRAN Jules. Précepteur de Maurice Sand, confident et factotum de George Sand. 70-128-179
BRISSE (baron). 206
BULOZ François. Fondateur de la *Revue des Deux Mondes*, propriétaire de la *Revue de Paris*, éditeur de George Sand. 132

CAILLAUD Marie. 46-126-132-143
CALAMATTA Luigi. Graveur italien, père de Lina Dudevant Sand. 32
CALAMATTA Joséphine. Peintre, mère de Lina Dudevant Sand. 45
CALAMATTA Lina (voir Dudevant Sand).
CARMONA (señora). Amie espagnole d'Aurore Sand. 172
CARON Louis Nicolas. Homme d'affaires, très lié avec Aurore et Casimir Dudevant. 67-116-130-162-224
CHARPENTIER Auguste. Peintre, vint à Nohant pour faire le portrait de George Sand. 29
CHATIRON Hippolyte. Demi-frère de George Sand, fils naturel de Maurice Dupin et de Catherine Chatiron, servante à Nohant. 40-219
CHOPIN Frédéric. 10-39-40-43-68
CLÉSINGER Jean Baptiste. Sculpteur, gendre de George Sand. 33

DECERF Laure. Fille du docteur Decerf, médecin d'Aurore de Saxe, grande amie de George Sand. 16
DELABORDE Antoinette Sophie Victoire. Mme Maurice Dupin. Fille d'un oiseleur parisien, mère de George Sand. 27-116-214-218
DELACROIX Eugène. 10-31-44-61
DELAIGUE-MOINS Sylvie. 40-68
DESCHARTRES Jean François Louis. Précepteur de Georges Sand. 27-57
DESSAUER Joseph. Musicien allemand, ami de Chopin. 132
DETOUCHE Henri. Ami de Lina et Maurice

Sand. 149
DUDEVANT François (dit Casimir). 16-164
DUDEVANT SAND Aurore. 19-20-33-35-37-48-57-60-63-69, et la plupart des pages des cahiers de recettes
DUDEVANT SAND Gabrielle. 19-20-26-36-37
DUDEVANT SAND Lina. 19-32-33-35-84-92-96-98-106-114-141-160-166-167-175-181-182-184-187-188-192-196-202-203-204-206-207-214-220-221-223-227-230-232-233-234-235
DUDEVANT Jean François Maurice Arnault. Dit Maurice Sand. 8-20-32-33-35-45-50-61-72-102
DUDEVANT Solange. 25-33-34-35-63-65-68-169-218
DUMAS Alexandre Fils. 10-44-45-51-53-88-189
DUPIN Maurice-François-Élisabeth. Aide de camp de Murat, père de George Sand. 16-19-27
DUPIN DE FRANCUEIL Louis-Claude. 19-20
DUPIN DE FRANCUEIL Marie Aurore. 9-15-16-25-36-37-224-225

FERRA Mimi (tante). Tante alsacienne de Frédéric Lauth, mari d'Aurore Sand. 145-180-189-190-207
FLAUBERT Gustave. 10-29-35-46-48-50-51-72
FRANCO Robert. 38

GAUTIER Théophile. 44-45-46
GILOT. Ami supposé de Maurice et Lina Sand. 150
GIRARDIN Émile de. Journaliste, député de la Creuse, fondateur du Journal *La Presse*. 39
GONCOURT (les frères). 46
GRILLE DE BEUZELIN, Mme. Amie et confidente de Solange Sand. 156
GRISI Ernesta. Amie de Théophile Gautier. 45

HANSKA (comtesse). Amie polonaise de Balzac. 43
HARRISSE Henri. Avocat américain qui herborisait à Nohant avec George Sand. 31-41
HETZEL Pierre Jules. Éditeur et ami de George Sand. 28
HORN Antoine (comte de). 25

JANIN Jules. Journaliste et littérateur. 53
JEDRZEJEWICZ Louise. Nièce de Frédéric Chopin. 40

LAMBERT Eugène. Peintre, ami de Maurice Sand à l'atelier de Delacroix. 8-16-45
LAUTH Élisa. Belle-mère d'Aurore Sand. 178-196
LAUTH Frédéric. 10-35-37
LISZT Franz. 10-40-41-42-43

MAGNY. Célèbre restaurateur parisien. 83-98-127-134
MANCEAU Alexandre. Graveur, dernier compagnon de George Sand. 45-46
MARCHAL Charles. Peintre, ami de Dumas fils qui l'amena à Nohant. 44-45-51
MASSON Marie. Actrice. 100
MEURE Charles. Substitut à La Châtre, ami des Dudevant. 144
MOUMOUTTE. Amie d'Aurore Sand, dont on ne connaît que ce diminutif. 168
MURATORI, Dr Pasquale. Médecin à Châteauroux. 56-166

NADAR. 31-42-46
NAPOLÉON Jérôme (voir Bonaparte).
NÉRAUD Jules. Avocat, juge de paix à La Châtre. Ami fidèle de George Sand.
NOUNOU (Solange Marie). Nourrice d'Aurore Sand. 68-100-103-107-110-148-151-157-174

OKS Dr. Ami de Maurice et Lina Sand. 119

PALAZZI Roméo. 20
PANKOWSKY. Ami des Calamatta. 113
PEARRON DE SERENNES Pierre-Philippe. 15
PIFFOËL Dr. Nom inventé par George Sand qui en fait le correspondant fictif de son journal intime. 42
PLANET Gabriel. Ami berrichon de George Sand. 48-215
PLAUCHUT Edmond. 15-37-38-48-50-65-152-153
POISSONNIER Mme. Relation berrichonne de Lina Sand. 221

RADAN Thérèse. Voisine et amie gargilessoise d'Aurore Sand. 168-183-193-198-200-205-213

RÉGNAULT Émile. Confident de George Sand 29
RENAULT Rose. L'une des cuisinières de George Sand. 84-131-138-142-147
RICHARD DESAIX Ulric. Ami de Maurice et Lina Sand. 212
ROBOT Jacques. Domestique de George Sand 64

SAGNIER Charles. Ami de Maurice et Lina Sand. 155
SAINTE-BEUVE Charles Augustin. 29
SAXE Aurore (voir Dupin).
SAXE Frédéric-Auguste de. 26
SAXE Maurice de. 26-58
SCHUTZENBERGER père. Père d'Hélène Schutzenberger, amie d'Aurore Sand. 152
SMEETS-DUDEVANT-SAND Georges. 9-11-36
SULLY-LÉVY. Acteur parisien qui venait à Nohant pour jouer sur la scène du petit théâtre. 139-174

TOURGUENIEV Yvan. 10-35-50-51.

ULBACH Louis. Homme de lettres. 46-58
URBAIN Nini. Amie d'Aurore Sand. 176

VALLET DE VILLENEUVE François-René. Cousin germain et tuteur de George Sand, propriétaire du château de Chenonceaux. 28
VERGNE Dr Jean-Hippolyte. Ami et médecin de George Sand ; elle déjeunait chez lui à Cluis, lorsqu'elle se rendait de Nohant à Gargilesse. 199
VERRIÈRES Marie de (dite Marie Rainteau). Mère d'Aurore de Saxe et arrière-grand-mère de George Sand. 25
VIARDOT Pauline. Tragédienne lyrique, amie de George Sand. 10-45
VILLOT Pauline. Épouse du peintre-graveur Villot, conservateur des peintures au Louvre. 159-229

WHARTON Édith. 51
WISMES Émilie de. Amie de George Sand, au couvent des Anglaises à Paris. 20
WYNN JONES. Ami d'Aurore Sand. 218

Sources documentaires

Toutes les photographies sont d'André Martin, les documents provenant de la collection personnelle de Christiane Sand, sauf pour les photos suivantes : 16 haut *Bulletin des Amis de George Sand*, numéro spécial « Nohant » ; 16 bas Musée de La Châtre ; 27 Musée Carnavalet, photo Lauros-Giraudon ; 29 Musée Carnavalet, photo Lauros-Giraudon ; 31 à droite Musée Carnavalet, photo Roger Viollet ; 33 à gauche Château de Nohant ; 33 à droite collection Georges Lubin, photo Roger Viollet ; 37 Château de Nohant ; 38 Bibliothèque de La Châtre ; 40 Musée de La Châtre ; 41 Musée Renan Scheffer, photo Roger Viollet ; 42 en haut Musée de La Châtre ; 66 Bibliothèque de La Châtre ; 69 Bibliothèque de La Châtre.

Les évocations pages 7 et 22-23 ont été réalisées avec une robe et un châle Nina Ricci.

Pages 177 et 191 : service à thé et à café « George Sand », réédité par Raynaud et aimablement prêté par Jansen. Nappe et serviettes de Christian Benais.

Achevé d'imprimer
sur les presses de Artes Graficas Toledo, S.A.
Octobre 1987
D.L TO 1859-1987